Musikalische Grund
in der Musikschule
Schülerbuch

von Hans Wilhelm Köneke
und Wolfgang Stumme
mit Illustrationen von Rolf Rettich

ED 6784

SCHOTT

Mainz · London · Madrid · New York · Paris · Tokyo · Toronto

ED 6784

Graphische Gestaltung und Layout: Günther Stiller, Taunusstein/Ts.
© B. Schott's Söhne, Mainz, 1979
Printed in Germany · BSS 44433

ISBN 3-7957-2623-9

Vorwort für Eltern und Lehrer

Welche Aufgaben hat dieses Buch?

Soll es das, was im Unterricht gesagt worden ist, in gedruckter Form wiederholen? Das wäre langweilig. Zudem kann der Lehrer den Unterrichtsstoff für solche Kinder, die gerade erst angefangen haben, Geschriebenes und Gedrucktes zu verstehen, in der Musikstunde viel lebendiger darstellen.

Was soll's also? Dem Buch kommen ganz andere Aufgaben zu:

— Es soll zunächst einmal unterhaltsam sein, neugierig machen auf vielerlei bunte und interessante Dinge und Zusammenhänge, die mit Musik zu tun haben.

— Es soll dazu einladen, sich mit diesen Dingen weiterzubeschäftigen: zu spielen, zu experimentieren, zu malen, zu schreiben, zu planen, zu bauen, sich im weiten Bereich der Musik erste Aufgaben zu stellen und ferne Ziele ahnen oder erkennen zu lassen.

— Es soll Texte, Spiele, Lieder aus den Musikstunden festhalten, um sie wieder aufgreifen zu können, um mit ihnen zu musizieren und um sie rascher zu lernen.

— Es soll vielerlei Bildmaterialien für den Unterricht bereitstellen, die mithelfen, Erscheinungsformen der Musik und was damit zusammenhängt, anschaulich zu machen.

— Es soll in diesem Zusammenhang Fragen stellen, die den, der lernen will, Musik feiner zu hören, besser zu verstehen und selber zu machen, aus eigenen Kräften Antworten finden lassen und ihn auf diese Weise Schritt für Schritt weiterführen.

— Es soll aufzeigen, wie man musikalische Fertigkeiten übt und daraus Lust und Freude gewinnt, später selbst mit Instrument und Stimme umzugehen.

— Es soll schließlich auch zur häuslichen Beschäftigung mit dem anregen, was im Musikunterricht angeklungen ist.

— Nicht zuletzt soll es die Eltern einladen, bei all diesem Tun gelegentlich einmal mitzumachen — singend, spielend, bastelnd, Probleme lösend.

Das Buch verfolgt eine gewisse Systematik, ist dabei allerdings nicht an einen genau festgelegten methodischen Weg gebunden. Der Lehrer kann sich jeweils auf die besonderen Bedürfnisse seiner Schülergruppe, ihr Lerntempo, den gemeinsamen Erlebnishintergrund einstellen, die Lernstoffe frei auswählen — natürlich auch dies und jenes auslassen oder gegen einen anderen Stoff vertauschen — und so die Reihenfolge der Lernschritte weitgehend selbst bestimmen.

Dem jungen Musikschüler will das Buch überall dort ein Partner sein, wo im Rahmen der Musikalischen Grundausbildung eben ein Buch als Arbeitsmittel mitreden kann. Natürlich gibt es darüber hinaus viele Dinge, die dem Lehrer durch ein Buch nicht abgenommen werden können.

Womit wir musizieren

Wehe, wenn sie losgelassen!

Womit musizieren diese Kinder?

Mit Händen und Füßen

Spiele auch du mit Händen und Füßen —
vielleicht auch mit den Fingern, den Lippen, der Zunge, den Zähnen, ... —
so daß man es hören kann.
Was klingt besonders gut?

Und jetzt gang i ans Brünnele

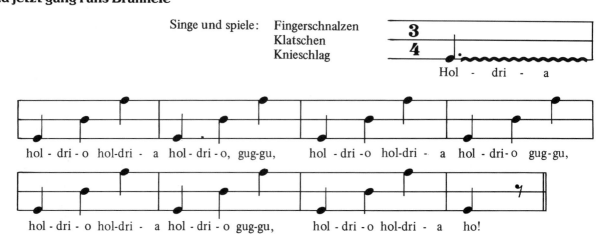

Singe und spiele: Fingerschnalzen
Klatschen
Knieschlag

Hol - dri - a

hol - dri - o hol-dri - a hol - dri -o, gug-gu, hol - dri -o hol-dri - a hol - dri -o gug-gu,

hol - dri - o hol-dri - a hol - dri -o gug-gu, hol - dri -o hol-dri - a ho!

Nicht aufs Maul gefallen

Was tun die Kinder mit ihrer Stimme?
Mache es ihnen nach.

Ong drong dreoka

Unterhalte dich mit anderen Kindern,
aber denk dir dafür neue Wörter aus —
solche, die ganz anders klingen als die üblichen.
Du kannst dir dafür auch Wörter aus diesen Versen suchen:

Ong drong dreoka
Lembo lembo seoka
Seoka di tschipperi
Tschipperi di Kolibri
Ong drong dreoka.

Äne däne diadee
Diadee di Salome
Salome di gattriga
Gattriga di Patina
Gattri gattri gums.

Reimwörter

Schnee — See — Tee — Kaffee
Sohn — Mohn — Lohn — entflohn
Hund — Mund — rund — gesund
Haus — Maus — Laus — heraus
Kreis — Reis — ....

Suche andere Reimwörter.
Höre beim Sprechen auf den Klang.

Urubamba

Urwald am Fluß Urubamba.
Höre die vielen Stimmen
und zeichne in das Bild hinein, wer sie macht.
Dann spiele mit den anderen Kindern auch Urubamba.

Musik nach Comics

Ein Schallbild mit fünf Tieren und den Tönen, die sie machen.
Welche Tiere sind es?
Ahme sie mit deiner Stimme nach.   Zuletzt höre dir an, wie es die Sängerin Cathy Berberian macht.

Gefallen dir auch die anderen Klangbeispiele dieser Sängerin?
Versuche, zu einem davon ein Schallbild zu zeichnen.

Kinderkarneval

Mache aus der Bildergeschichte ein Hörspiel.

Mein Ball

Mein Ball
zeigt, was er kann,
hüpft
hoch wie ein Mann,
dann
hoch wie eine Kuh,
dann
hoch wie ein Kalb,
dann
hoch wie eine Maus,
dann
hoch wie eine Laus,
dann
ruht er sich aus.

Ob du es mit dem ganzen Körper oder mit der Stimme allein darstellst —
das Wörtchen „hoch" muß immer wieder anders klingen.

Unheimliches

Fern in der Wüste Gupleflup
da hüpft der Sandfloh Hupleflup

Im Schlangensumpf Wehentlefent
da schlängelt sich Serpentlefent

Im Turm der Burg Granislefis
da geistert Burggeist Hislefis

Laß deine Stimme auf der letzten Silbe jeder Strophe
hüpfen wie den Sandfloh,
sich schlängeln und herumgeistern.
Vielleicht fallen dir noch weitere Strophen ein.

Wer hat gesiegt?

Der Hase und der Hahn
fuhren in einem Kahn.
Da rief jemand „Muh!"
Das war die Kuh.
Die Kuh kam an den Strand
gerannt
und wollte auch noch mit.
Der Hase und der Hahn
ließen die Kuh mit in den Kahn.
Jetzt waren sie zu dritt.
Einer war zu schwer.
Was glaubst du wohl, wer?

Diese Geschichte kannst du erzählen — sprechend oder auch singend.
Versuche beides.

Höre dir an, wie der Erzähler in der Oper „Der Mond" von Carl Orff
seine Geschichte beginnt.

Vorzeiten gab es ein Land,
wo die Nacht immer dunkel
und der Himmel wie ein schwarzes Tuch drüber gebreitet war;
denn es ging dort niemals der Mond auf,
und kein Stern blinkte in der Finsternis.
Bei Erschaffung der Welt hatte das nächtliche Licht nicht
ausgereicht.

Papagena und Papageno

Papagena und Papageno sind ein lustiges Liebespaar
in der Oper „Die Zauberflöte" von Wolfgang Amadeus Mozart.
Hier spielen sie aus Übermut mit den Silben ihrer Namen.

Das kannst du auch. Denk dir selbst klingende Namen aus
und spiele mit ihren Silben,
wie es Papagena und Papageno tun.

Musik auf Instrumenten   Welche Instrumente kennst du schon?
Zu welchem Bild gehört die Musik, die du vom Tonband hörst?
Wo hört und sieht man solche Musiziergruppen?
Welche Musik hörst du am liebsten?

Ein wildes Durcheinander

Wer sorgt für Ordnung in diesem Haus?
Schicke jeden Musiker in das richtige Zimmer.

Du hörst sechs kurze Musikstücke.
Sage immer, aus welchem Zimmer.
Bei zwei Stücken hat sich ein anderer Musiker eingeschlichen.
Welches Instrument spielt er?

Instrumente zum Blasen

Flötentöne auf Röhren und Gefäßen

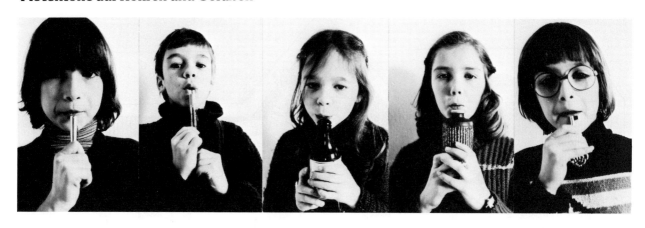

Richtige Flöten

Panpfeife, Blockflöte, Querflöte —
kannst du sie an ihrem Klang unterscheiden?

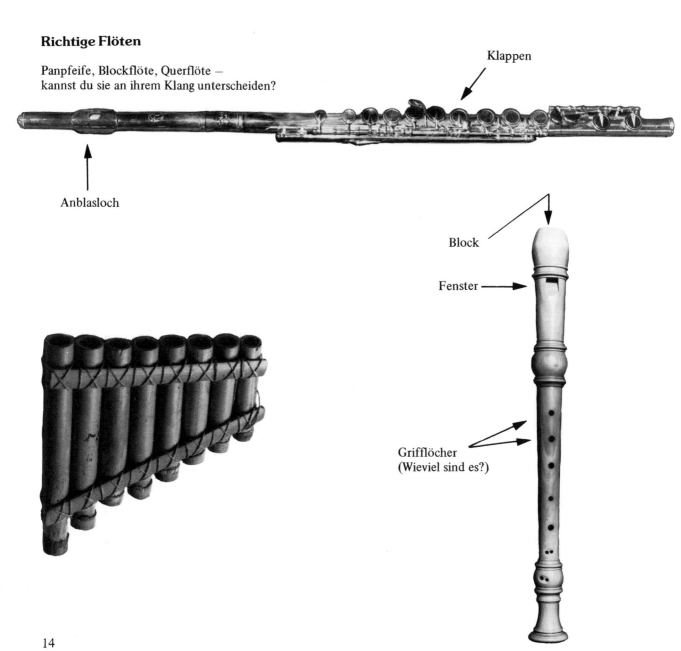

Klappen

Anblasloch

Block

Fenster

Grifflöcher
(Wieviel sind es?)

Baue selbst! Laß dir von Größeren dabei helfen.
Ihr benötigt: Bambusrohr, Aluminium- oder Plastikfolie,
Klebeband — und als Werkzeug Schere und Feinsäge.

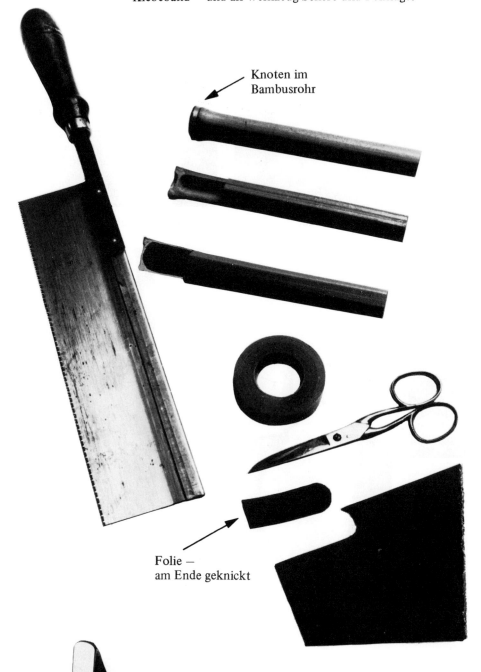

Knoten im
Bambusrohr

Folie —
am Ende geknickt

Mundstück
mit Rohrblatt

So sieht eine richtige Klarinette aus

Die Klarinette
wird aus Ebenholz
hergestellt.

Töne aus Luftballons und Trinkhalmen

Schneide den Trinkhalm so zu,   dann kannst du darauf blasen.

Mit einem Bogen Papier und etwas Klebeband
kannst du dir für den tönenden Trinkhalm
einen Schalltrichter bauen.
Du wirst dich wundern, wie deine Schalmei klingt.

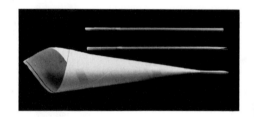

Die Oboe und ihr großer Bruder: das Fagott

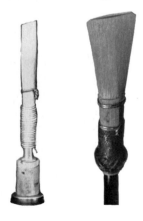

Oboe und Fagott
haben doppelte Rohrblätter,
die wie
bei der Klarinette
aus einer besonderen Art
Schilfrohr gefertigt sind.

Töne aus dem Gartenschlauch

Mit den Lippen wird der Ton erzeugt —
nicht mit der Stimme.

Trompete und Horn

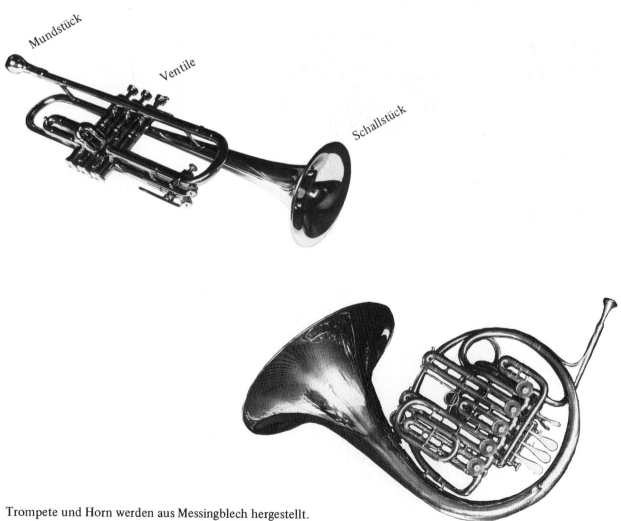

Mundstück

Ventile

Schallstück

Trompete und Horn werden aus Messingblech hergestellt.

Instrumente zum Zupfen

Bau dir eine Becher-Gitarre

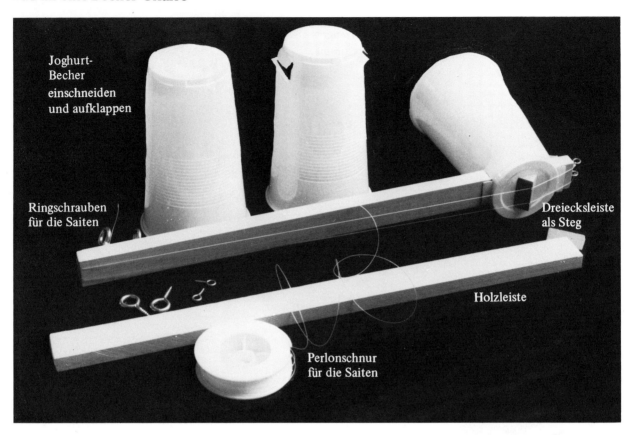

Joghurt-
Becher
einschneiden
und aufklappen

Ringschrauben
für die Saiten

Dreiecksleiste
als Steg

Holzleiste

Perlonschnur
für die Saiten

Gitarre und Harfe

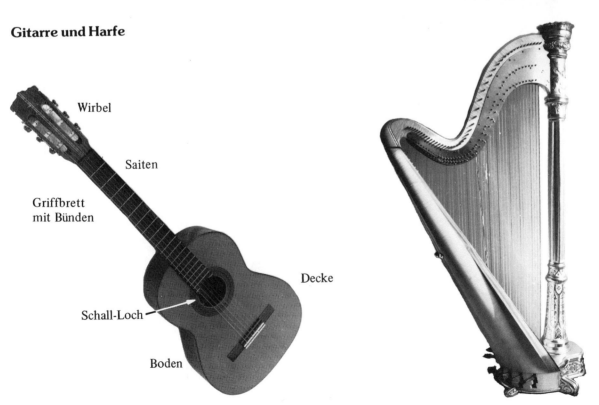

Wirbel

Saiten

Griffbrett
mit Bünden

Decke

Schall-Loch

Boden

Instrumente zum Streichen

Die Violine

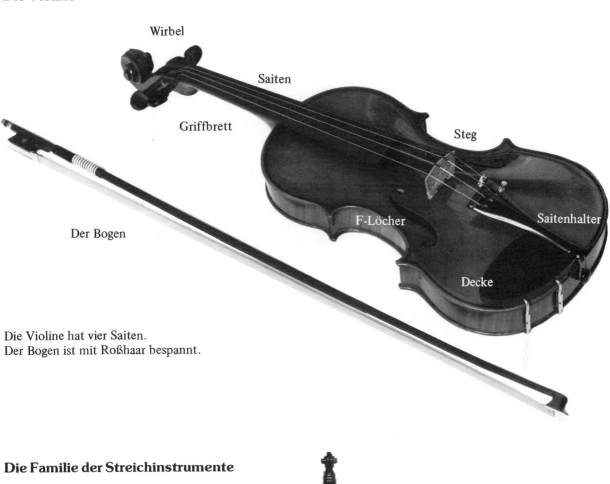

Wirbel

Saiten

Griffbrett

Steg

Der Bogen

F-Löcher

Saitenhalter

Decke

Die Violine hat vier Saiten.
Der Bogen ist mit Roßhaar bespannt.

Die Familie der Streichinstrumente

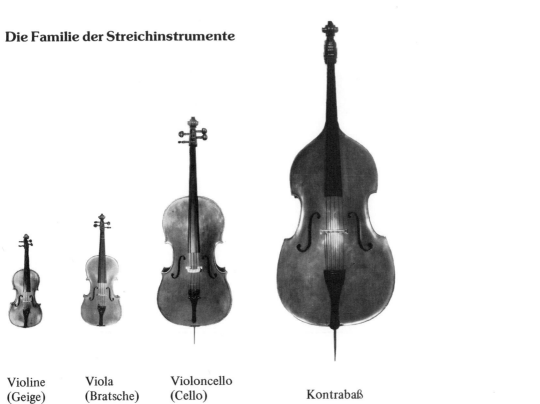

Violine
(Geige)

Viola
(Bratsche)

Violoncello
(Cello)

Kontrabaß

Instrumente zum Anschlagen

Klänge mit Hilfe des Schlägels

Wie klingen Gläser,
Flaschen, Schalen, Büchsen, Papprohre
verschiedener Größe oder andere Dinge,
wenn du sie anschlägst?

Kennst du diese Schlaginstrumente?

Pauke, Zimbeln, kleine Trommel, Triangel, Tempelblocks, Becken.
In welcher Reihenfolge sind diese Instrumente auf dem Bild zu sehen?

Ordne ein!

Metall-Klinger: _____

Holz-Klinger: _____

Fell-Klinger: _____

20

In welche Gruppe gehören denn diese?

Drei wichtige Teile aus diesen Instrumenten:
Welches gehört in das Klavier, welches in die Orgel,
welches in das Akkordeon?

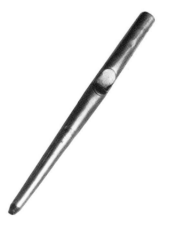

Das große Orchester

Zeige auf dem Bild immer die Instrumente,
die du in dem Orchesterstück gerade hören kannst.

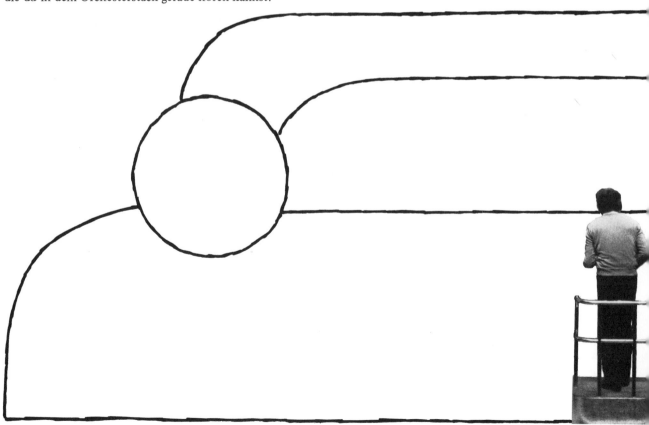

Dann trage in den folgenden Plan ein,
wo du die Streichinstrumente (1),
die Blasinstrumente (2),
die Schlaginstrumente (3) und
die Harfe als einziges Zupfinstrument entdeckt hast.

Rainer im Irrgarten der Instrumente

Welchen Weg muß Rainer durch den Irrgarten gehen?
Wenn du dir die Reihenfolge
der Instrumente auf dem Tonband merkst,
dann weißt du es.

Wie wir Musik aufzeichnen

Wir sind die Musikanten und kommen aus Schwabenland

Eines Tages kommen die Musikanten an ein Zauberhaus.
Es hat drei verschlossene Türen.
Auf jede ist ein Bild gemalt — ein S c h a l l b i l d .
Wer es versteht, nach einem solchen Schallbild
zu singen oder zu musizieren, dem öffnet sich die Tür.

Versuche es einmal.
Denke dir eigene Schallbilder aus.

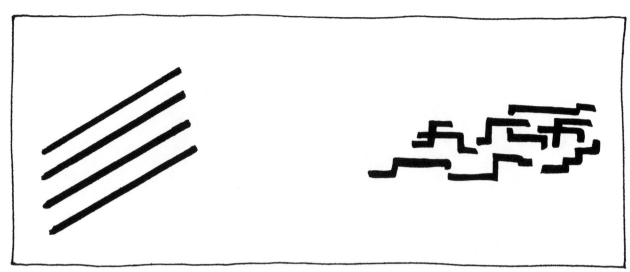

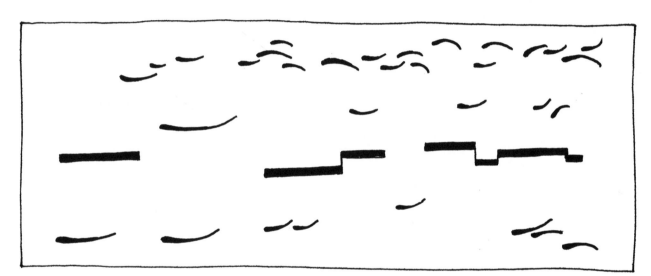

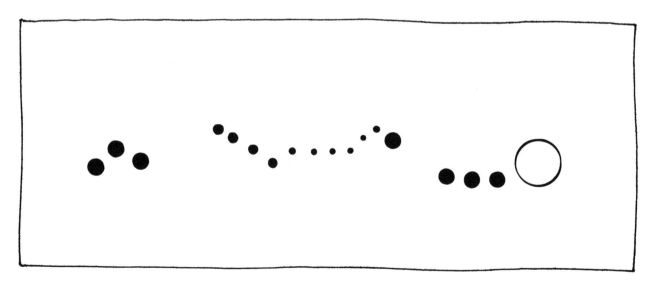

Prüfe, ob die Reihenfolge zum Tonband paßt.

Spiele selbst!

  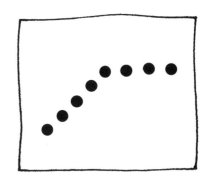

Ordne immer das richtige Schallbild zu.

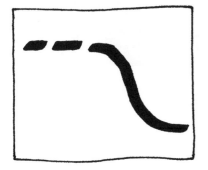 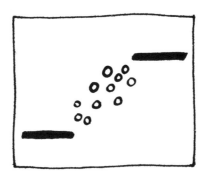 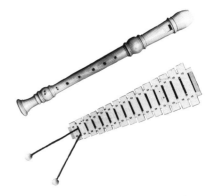

Wenn du diese Instrumente schon spielen könntest!

Rate einmal, nach welchem Schallbild die Geige,
nach welchem die Pauke und nach welchem die Gitarre spielen kann.

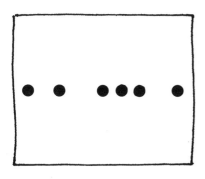 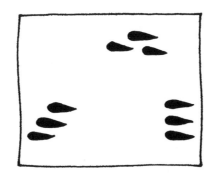 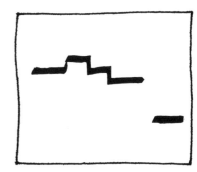

Nun höre das Tonband! Hattest du richtig geraten?

Kommt ein Tag in die Stadt

Ein Wecker rasselt,
eine Teekanne zischt,
ein Regenguß prasselt,
eine Putzfrau wischt,
ein Briefkasten klappert,
ein Baby schreit,
eine Nachbarin plappert,
und ganz weit
quietscht eine Bahn in den Schienen.

So kommt ein Tag in die Stadt:
im Dämmerlicht um halb sieben,
in die Stadt, die geschlafen hat.

Welche Geräusche sind hier zu hören?

Aufstehen!   Höre die Geräuschgeschichte vom Tonband.

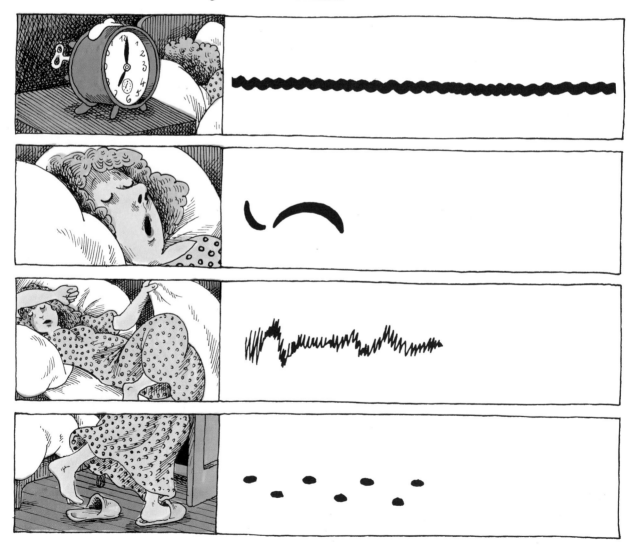

Zeichne weiter und gib für jedes Geräusch zu erkennen:
Wer macht es?   Wie lange dauert es?

Denk dir selber eine kleine Geräuschgeschichte aus,
zeichne sie auf und spiele sie.

Lange und kurze Töne

Musikinstrumente, deren Töne kurz und lang klingen können:

Flöte, Geige, ...

Musikinstrumente, deren Töne immer nur kurz klingen:

Trommel, Xylophon, ...

Spiele nach diesen Schallbildern.
Denke dir auch andere aus!

Sirene und Martinshorn

Das Besetzt-Zeichen im Telefon,
die Sirene bei Feueralarm,
das Martinshorn des Einsatzwagens.
Ordne die passenden Schallbilder zu.

 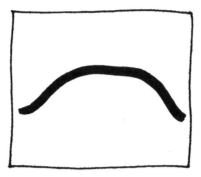 

Diese Schallbilder kann man auch auf andere Weise wiedergeben.
Vielleicht mit Autohupe, Teekessel, Glockenspiel, Klavier, Blockflötenkopf
oder mit der eigenen Stimme

oder auch mit . . . .

Probiere es selber aus.

Ordnung muß sein

In diesen Schrank male Instrumente,
auf denen verschiedene Tonhöhen
gespielt werden können.

In diesen Schrank male Instrumente,
deren Tonhöhe beim Spiel
nicht verändert werden kann.

Ein Konzert mit Tonhöhen und Tondauern

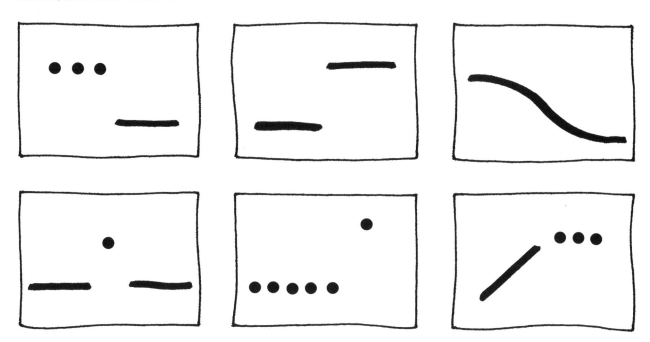

Welche Instrumente sind für dieses Konzert geeignet?
Denke dir andere Schallbilder aus.
Spiele und zeichne sie.

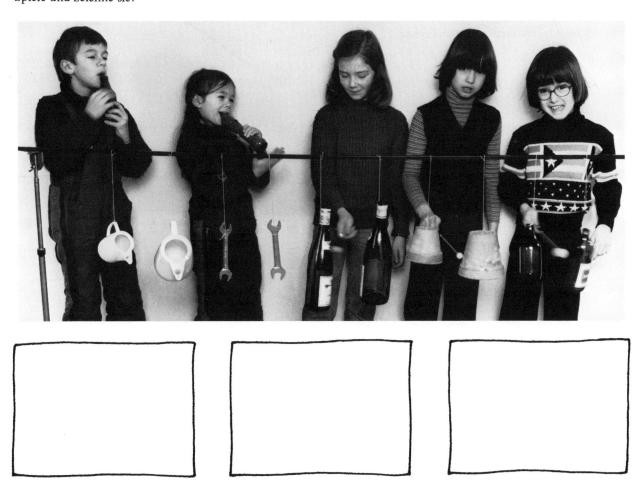

Schuttmusik und Mäusejäger

Konzert auf dem Schuttplatz

Schutt, Schutt, Schutt —
die Welt ist nicht kaputt!
Was hier rostet, Bruch und Stück,
wird zur Pauke, Schelle,
wird zum großen Trommelglück —
Schuttmusikkapelle!

Mäusejäger

Leis auf Samtpantoffeltatzen
tigern sieben Miezekatzen.
Golden blinkt im Abenddunkel
ihrer Augen Sterngefunkel.
Achtundzwanzig Katerbeine
schleichen über Pflastersteine.

Welches Schallbild paßt zur Schuttmusik,
welches zu den Mäusejägern?

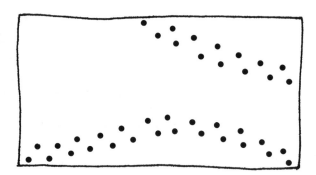 

Wähle passende Instrumente aus und spiele.

Zwischen laut und leise gibt es viele Abstufungen.
Spiele:

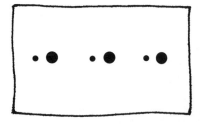 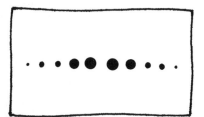 

Denke dir andere Schallbilder aus.
Spiele und zeichne sie.

Zum Aussuchen

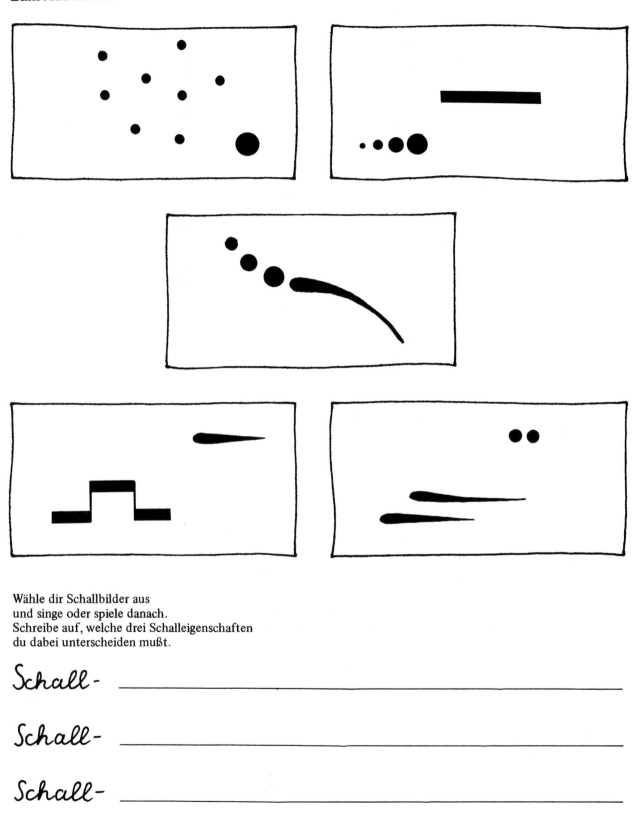

Wähle dir Schallbilder aus
und singe oder spiele danach.
Schreibe auf, welche drei Schalleigenschaften
du dabei unterscheiden mußt.

Schall- _____

Schall- _____

Schall- _____

Spiele auch nach Schallbildern,
die du dir selber ausgedacht hast.

Zaubermusik

Mit den Tönen der Flöte kann man zaubern, so glauben die Leute im fernen Japan.
Hier hörst du sieben kurze Teile einer solchen Zaubermusik.
Fünf Schallbilder dazu findest du in den Kästchen.
Zwei mußt du selber eintragen.

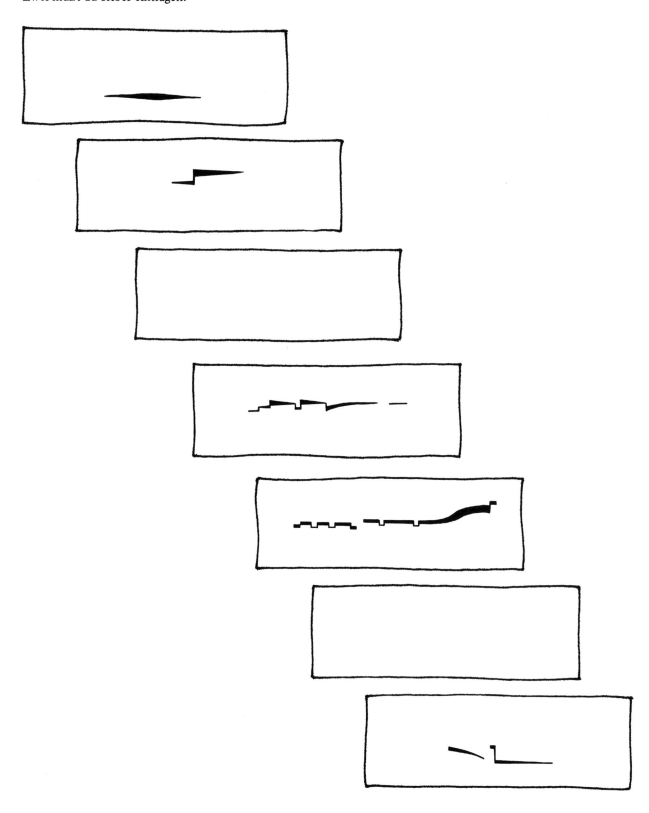

Hier ist guter Rat teuer

Einige Zeichen verstehen wir — andere nicht.
Da kann nur eine Erklärung helfen:

Die Instrumente

⑨ Blockflötenkopf

◤ Xylophon

☐ Trommel

Und wie sie zu spielen sind

▬▬▬ langer Ton

○ Schlag mit Filzschlägel

● Schlag mit Holzschlägel

◆ Schlag auf den Rand

Lies und spiele!

Eine lange Kette leiser Töne auf dem Glockenspiel,
zuerst tief, dann immer höher —
zwei Schläge auf dem Becken,
der erste weich, der zweite hart —
ein dumpfes Grummeln auf der großen Pauke.

Zeichne ein Schallbild und erkläre die Zeichen,
die du dir dafür ausgedacht hast.

Aus größeren Musikstücken

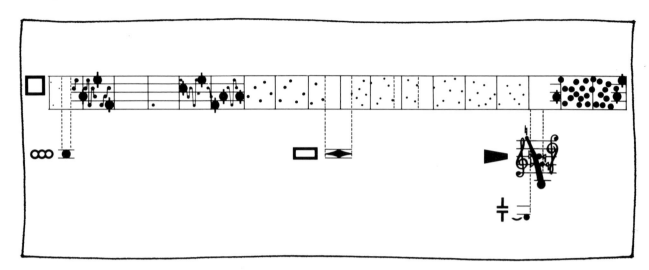

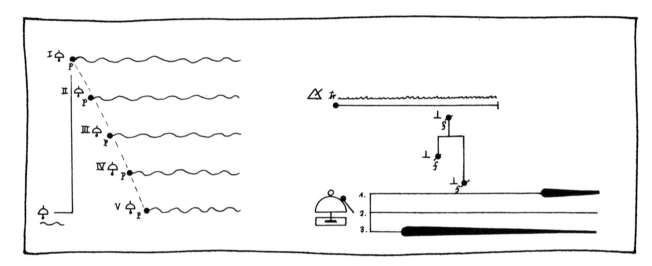

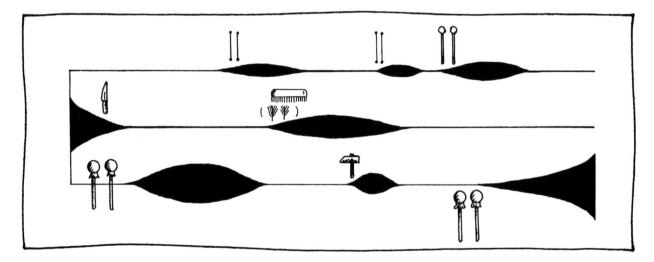

Was mögen die einzelnen Zeichen bedeuten?
Prüfe beim Hören nach.

Das kannst du auch

Erfinde selber Schallbilder
und gib ihnen Überschriften — vielleicht diese:
„Musik für Triangel und Trommel"
„Überraschung"
„Herr Kurz und Frau Lang"

Zeichen, die nicht jeder versteht, mußt du erklären.

Gelogen

„So schnell kriegt mich hier keiner mehr hoch!"
sprach ein müder Wanderer mit Schnaufen.
So sagte er. Und setzte sich
auf einen Ameisenhaufen ....

Ich habe zehn Spatzen im Garten

Ich habe zehn Spatzen im Garten,
die schreien für hundertundzehn.
Sie schreien alle: „Tschilipp-tschilipp!"
Das soll nicht so weitergehn.

Ihr sollt mir was lernen, ihr Spatzen!
Ich singe euch was vor.
Ein schönes Lied, ein feines Lied,
das werdet ihr singen im Chor.

Ich sang ihnen vor drei Stunden lang,
ich habe mich redlich bemüht.
Liegt's am Lehrer? Liegt's an den Schülern?
Man hört nur das alte Lied.

„Tschilipp-tschilipp!" schreit alles zugleich.
Da kann ich nur sagen: „Ach,
euer Lied, ihr Lieben, das ist kein Lied,
euer Lied, das ist nur ein Krach!"

Einiges aus diesen Gedichten kannst du mit Musik ausdrücken.
Versuche es.

Spiel mit vier Tonhöhen

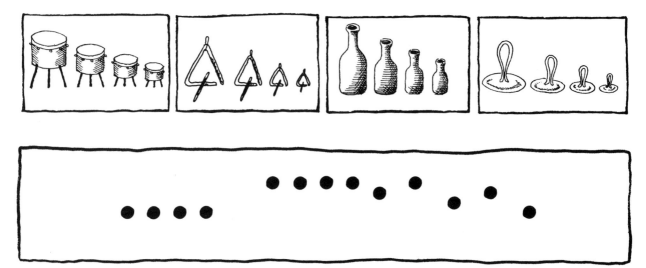

Ist dieses Klangbild übersichtlich genug?

Ordnung durch fünf Linien

Hier ein Abschnitt aus einem Musikstück, in dem 4 Trommeln vorkommen:

So sieht es aus, wenn wir unser „Spiel mit vier Tonhöhen"
in fünf Linien einzeichnen:

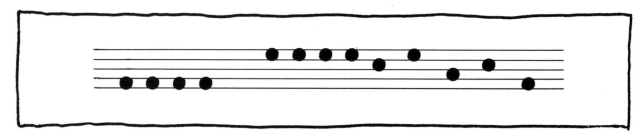

Nun kannst du die Tonhöhen besser unterscheiden.
Denke dir selber eine Folge von Tonhöhen aus
und notiere sie in 5 Linien.

Schon vor langer Zeit verwendete man solche Linien.

Hier werden noch mehr als vier Tonhöhen
unterschieden. Wieviele? ....

Wie ist das möglich?

Eine Treppe aus Noten

Zeichne hier für jede Tonhöhe einen Punkt ein,
so daß eine Treppe aus Noten entsteht.
Die Noten für den tiefsten und für den höchsten Ton stehen schon da.
Wieviel Noten sind es im ganzen? . . . .

Wir können noch weitere Noten eintragen,
wenn wir kleine Hilfslinien verwenden.

Wieviel Noten sind es nun? . . . .
Diese Noten reichen gerade für alle Töne des Alt-Xylophons.

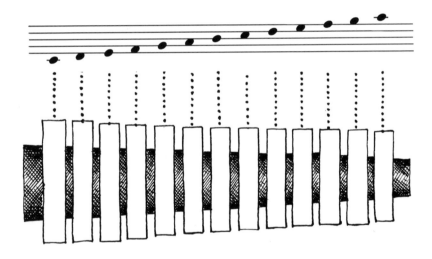

Ist ein Mann in Brunn gefallen

Suche diesen Ton auf dem Xylophon:

Und nun beginne hier das Lied. Sing dazu.

Ist ein Mann in Brunn ge - fal - len, hab ihn hö - ren plump - sen.

Wär er nicht hin - ein ge - fal - len, wär er nicht er - trun - ken.

Schreib die Melodie zu Ende.

Schritte und Sprünge

Beim Lied vom Mann im Brunnen geht die Melodie Schritt für
Schritt zum nächsten Ton. Hier macht sie auch Sprünge.
Wieviel sind es?

Hopp hopp hopp, Pferd - chen lauf Ga - lopp!

Zähle die Tonschritte und die Tonsprünge.

Aufgabe für kluge Leute:
Spiele auf dem Xylophon eine Melodie,
in der 7 Schritte und 2 Sprünge vorkommen.

40

Abzählreime

Auf den Feldern hinter Oppeln,
wo die braunen Hasen hoppeln,
geht ein Jäger mit zwei Moppeln
über gelbe Roggenstoppeln.

Backenzahn und grüner Kater
Katzenschwanz und Eulenvater
Bimmelbahn und Negerkuß —
du bist der, der suchen muß.

Aus diesen Reimen kannst du Lieder machen.

Zweiklang und Akkord

Zwei Schlägel hast du.
Schlage mit ihnen zwei Töne gleichzeitig an.

Zweiklänge:

Gibt es Instrumente, auf denen du noch mehr Töne
gleichzeitig spielen kannst?

Musikalische Entdeckungsreise

Hier findest du die Noten zu einem Stück von Wolfgang Amadeus Mozart.
Kannst du beim Betrachten der Noten schon etwas darüber sagen,
wie das Stück klingt?

Nun höre es dir mehrere Male an
und geh mit Augen und Ohren auf Entdeckungsreise.

Kannst du einige von diesen Fragen beantworten?

Wieviele Stimmen? . . . .

Welche beginnt? . . . .

Welche spielt die höchsten Töne? . . . .

Welche die tiefsten? . . . .

In welcher Stimme gibt es Noten, die das Xylophon nicht spielen kann? . . . .

Wo gibt es lange Töne? . . . .

Wo gibt es kurze? . . . .

Spiel mit Klangdauern

Wie lange klingen diese Schlaginstrumente nach?

Ordne sie nach der Klangdauer.

Wer waren die Gespensterchen?

Hun–dert–zwei Ge–spen–ster–chen
sa–ßen ir–gend–wo
hin–ter mei–nem Fen–ster–chen.
Da er–schrak ich so.

Suche die längsten und die kürzesten Silben.
Welche Schlaginstrumente kannst du ihnen zuordnen?

Hier sind Holzleisten verschiedener Länge.

Auch sie kannst du zuordnen.

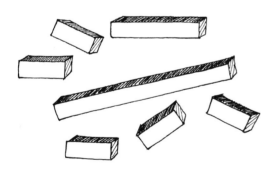

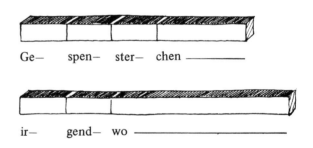

Ge—   spen— ster— chen ————

ir—   gend— wo ————————

Notenwerte

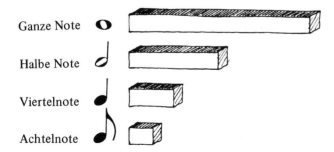

Ganze Note

Halbe Note

Viertelnote

Achtelnote

Die Arche Noah und ihre Gäste

Spielt „Arche Noah"! Jeder ist ein anderes Tier.
Wer die Notenwerte kennt, kann die Tiere einzeln mit der Trommel rufen.

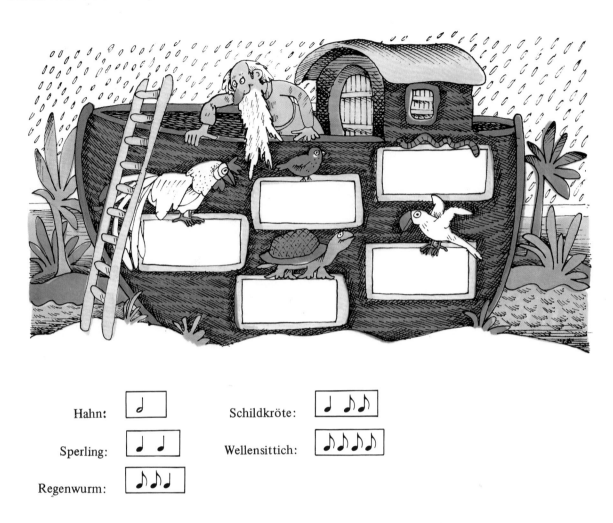

Hahn:

Sperling:

Regenwurm:

Schildkröte:

Wellensittich:

Mit den Notenwerten in den Kästchen könnten auch andere Tiere gemeint sein –
zum Beispiel diese:

Meerschweinchen:

Aal:

Klapperschlange:

Löwe:

Schäferhund:

Trage die richtigen Notenwerte ein!

Hier mußt du Ordnung schaffen

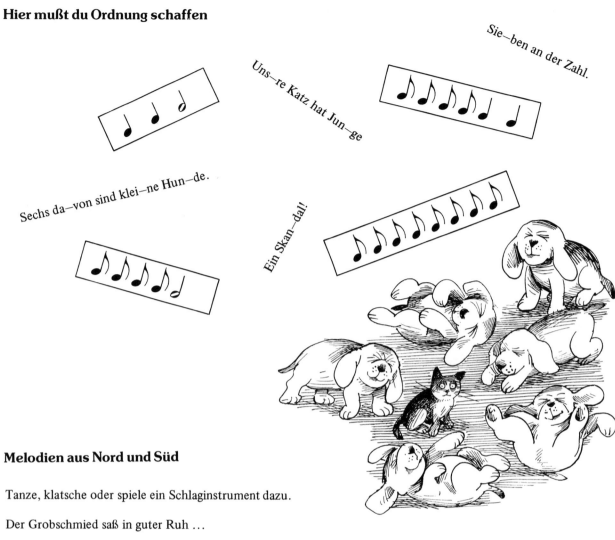

Melodien aus Nord und Süd

Tanze, klatsche oder spiele ein Schlaginstrument dazu.

Der Grobschmied saß in guter Ruh ...

Schlittenreiter-Polka

Welche Notenwerte hast du geklatscht oder geschlagen?

All' dies bewegt sich

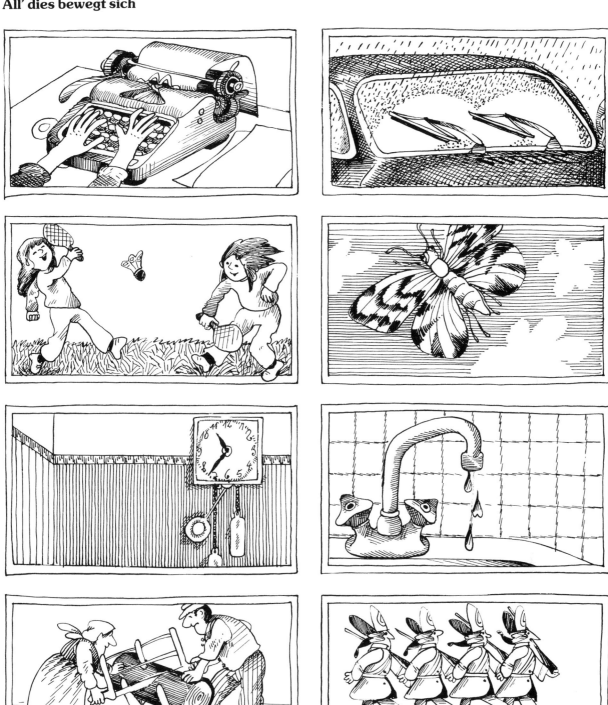

Bewege dich auch so.
Dann führe die Bewegungen auf der Trommel aus.
Zuletzt zeichne sie auf.

Welche Bewegungen sind gleichmäßig, welche ungleichmäßig?

Große Schritte – kleine Schritte

in ungleichmäßiger Folge

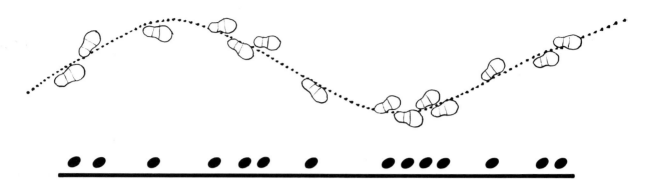

in gleichmäßiger Folge

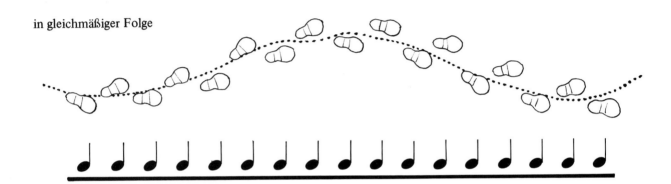

in gleichmäßiger Folge – aber zuerst langsam, dann rasch

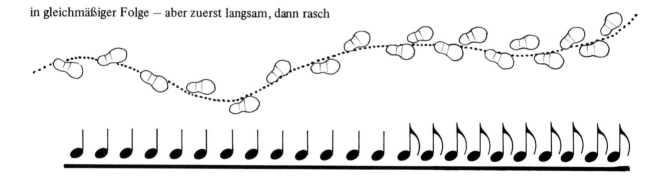

Welche Schrittfolge paßt zum Lied
    „Was noch jung und frisch an Jahren,
    das geht auf die Wanderschaft"?
Welche zum Lied
    „Der Jäger längs dem Weiher ging"?
Welche paßt gar nicht?

Probiere es aus.

Riese und Zwerg

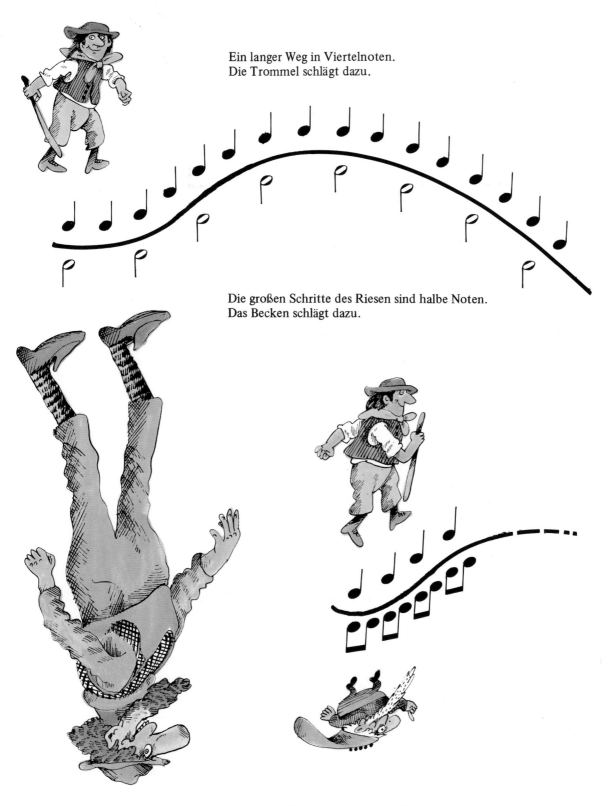

Ein langer Weg in Viertelnoten.
Die Trommel schlägt dazu.

Die großen Schritte des Riesen sind halbe Noten.
Das Becken schlägt dazu.

Und wie trippelt ein Zwerg?
Die Holzklangstäbe führen die Zwergenschritte aus.

Nicht zu glauben!

Vier Kühe stehn in unserm Stall,
braun und weiß sind sie und drall.

Die Kuh Emilie
frißt Petersilie.
Die Kuh Amalie
frißt eine Dahlie.
Die Kuh Helene
putzt sich die Zähne.
Die Kuh Luise
wäscht sich die Füße.

Zu welchen Zeilen passen diese Notenwerte: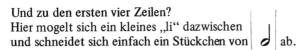

Und zu den ersten vier Zeilen?
Hier mogelt sich ein kleines „li" dazwischen
und schneidet sich einfach ein Stückchen von  ab.

Die Kuh E - mi - li - e

Nun wird daraus:

Die Kuh E - mi - li - e

Schreibe du die Notenwerte weiter:

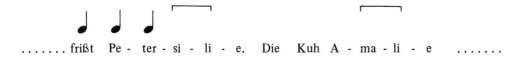

.... frißt Pe - ter - si - li - e. Die Kuh A - ma - li - e ....

Hier helfen wieder die Holzleisten

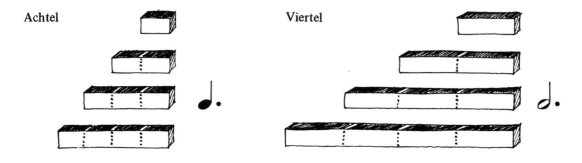

Achtel

Viertel

Was bedeutet der Punkt hinter der Note?

50

Auf dem Jahrmarkt zu hören

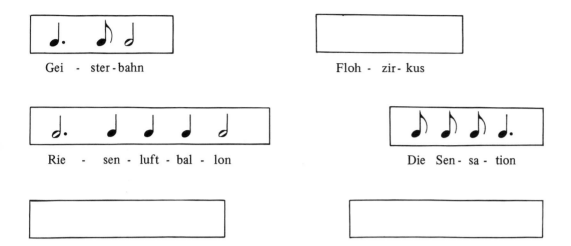

Gei - ster - bahn

Floh - zir - kus

Rie - sen - luft - bal - lon

Die Sen - sa - tion

Suche für die leeren Kästchen noch andere Ausrufe
und trage die Notenwerte ein!

Gro-ßes Feu - er - werk

Gro - ßes Feu - er - werk

Gro - ßes Feu - er - werk

Du kannst dieselben Wörter auch verschieden sprechen.

Achtung Pause!

So lange, wie ein Ton dauern kann,
so lange kann auch eine Pause dauern.

Ganze Note	𝅝	Ganze Pause	▬
Halbe Note	𝅗𝅥	Halbe Pause	▬
Viertelnote	♩	....	𝄽
Achtelnote	♪	....	𝄾

Die Kau

Ich kannte eine Kuh.
Sie lag auf einer Wiese
in himmlischer Ruh.
Ich sah ihr stundenlang zu,
wie sie Kau 𝄽𝄽 gummi,
Kau 𝄽𝄽 gummi
kau 𝄽𝄽 te,
die Kau 𝄽𝄽,

nein, die Kau 𝄽𝄽,
nein, die Kuh,
die Kau 𝄽𝄽,
ja, die Kau 𝄽𝄽,
ja, die Kau 𝄽𝄽 gummi,
Kau 𝄽𝄽 gummi
kau 𝄽𝄽 ende
himmlische Ruh.

Wenn du das Gedicht liest, mußt du bei jedem 𝄽
einmal stumm kauen.

Hören und mitmachen!

Die Tret-, Pfeif- und Lachsonata:

(Treten)   (Pfeifen)   (Lachen)

Für jeden Fehler wird ein Pfand gezahlt.

Old McDonald

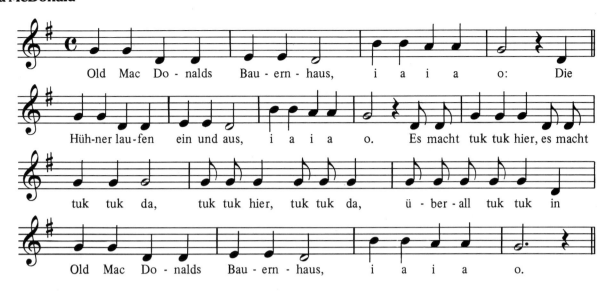

Old Mac Do - nalds Bau - ern - haus, i a i a o: Die

Hüh-ner lau-fen ein und aus, i a i a o. Es macht tuk tuk hier, es macht

tuk tuk da, tuk tuk hier, tuk tuk da, ü - ber - all tuk tuk in

Old Mac Do - nalds Bau - ern - haus, i a i a o.

2. . . . Schweine . . . oi–oi . . .
3. . . . Ziegen . . . mek–mek . . .
4. . . . Kühe . . . muh–muh . . .

Singe und klatsche dazu — zuerst bei jedem Schritt,
dann bei jedem zweiten,
zuletzt nur auf die betonten Silben.

Old Mac Do — nalds Bau - ern - haus - - - -

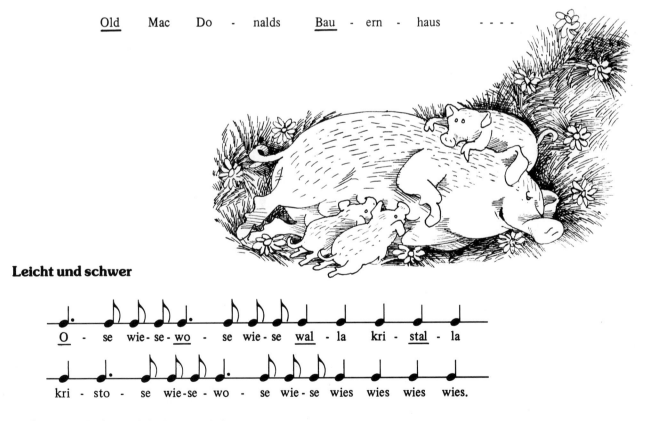

Leicht und schwer

O - se wie-se-wo - se wie-se wal - la kri-stal - la

kri - sto - se wie-se-wo - se wie-se wies wies wies wies.

In der ersten Reihe sind die betonten Silben schon unterstrichen,
in der zweiten mußt du es selber tun.

Der Taktstrich

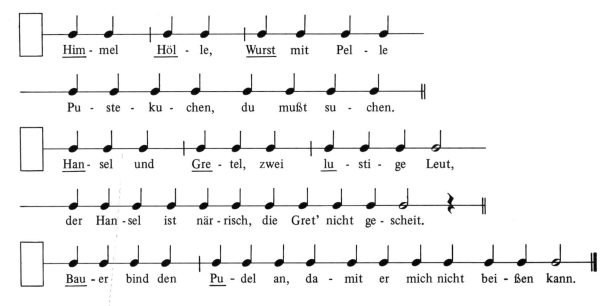

Him - mel Höl - le, Wurst mit Pel - le

Pu - ste - ku - chen, du mußt su - chen.

Han - sel und Gre - tel, zwei lu - sti - ge Leut,

der Han - sel ist när - risch, die Gret' nicht ge - scheit.

Bau - er bind den Pu - del an, da - mit er mich nicht bei - ßen kann.

Die betonte Silbe ist immer die erste im Takt.
Setze die fehlenden Taktstriche.

Wohin mit diesen Kästchen?

4/4   **3/4**   **2/4**   Sie sagen uns, wieviel Viertelnoten
in einen Takt hineinpassen.

Trage die richtige Taktart in die leeren Kästchen
oben auf der Seite ein.

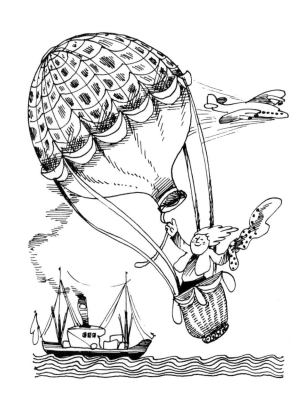

Gesucht werden hier:

Notenwerte, Taktstriche und Taktarten.

> Schlitten vorm Haus,
> steig ein, kleine Maus!

> Wenn der Sack voll ist,
> reckt er die Ohren.

> Denkt euch nur, die Erika
> fliegt jetzt nach Amerika!

> Hört ihr Herrn und laßt euch sagen:
> Unsre Glock' hat zehn geschlagen.

Guten Morgen, Herr Meier!

Ein Reim oder ein Lied beginnt nicht immer mit betonter Silbe.
Wie ist es bei diesen Versen?

Guten Morgen, Herr Meier!
Was kosten die Eier?

Ja denkt euch nur, der Frosch ist krank.
Er liegt auf unsrer Ofenbank.

Der Affe gar possierlich ist,
zumal wenn er vom Apfel frißt.

Und wie ist es bei diesen Liedern?

Es führt über den Main . . .
Der Jäger längs dem Weiher ging . . .
Singt ein Vogel . . .

Silben oder Töne, die vor der ersten Betonung stehen,
bilden den A u f t a k t.
Sammle in diesen Kästen Liedanfänge.

Lieder mit Auftakt   Lieder mit Volltakt

55

Ein Tanz aus alter Zeit

Vergleiche mit dem Stück von W. A. Mozart (Seite 42/43).
Was ist hier anders?
Eine Stimme kannst du besonders gut heraushören. Sing sie mit.

Wieviel Takte findest du mit diesen Notenwerten?

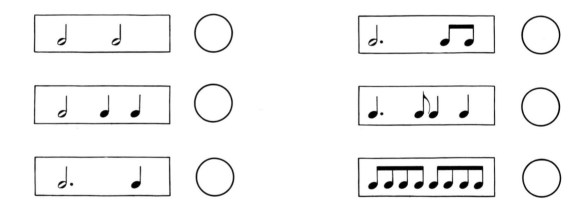

Schreib die Anzahl jedesmal in den Kreis.
Klatsche die Rhythmen und suche Wörter, die zu den Rhythmen passen.

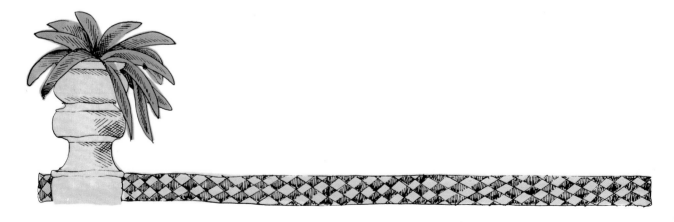

Das Musikstück ist ein Ballett.
Einzelne Tänzerinnen und Tänzer führten es
bei höfischen Festen im Schloßsaal auf.
Wie mag das ausgesehen haben? Probiert es aus.

Alle Noten haben Namen

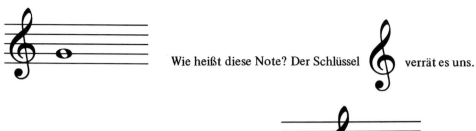

Wie heißt diese Note? Der Schlüssel  verrät es uns.

Die Note, die gerade in seinen Bauch hineinpaßt, heißt g.

Fünf Notennamen:

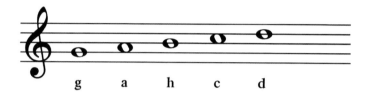

g   a   h   c   d

Kennst du noch das Lied (Seite 40), das mit diesen Tönen beginnt?
Sing es auf Notennamen.

Der Kuckuck und der Esel

d h d h d   c   c

Schreibe alle Notennamen unter die Noten.
Suche sie dann auf dem Glockenspiel.

Der Frühling kommt

Schreibe die richtigen Noten in die Linien.

Im Zoo

Denke dir passende Melodien aus,
spiele sie
und schreibe sie selbst auf.

Weitere Texte für eigene Melodien:
Der dicke Bär, der dicke Bär, der rennt im Käfig hin und her.
Marabu, Marabu, hebt ein Bein und schläft dazu.
Dem Vogel Strauß, dem Vogel Strauß, dem fallen schon die Federn aus.

Und nun eine ganze Tonleiter

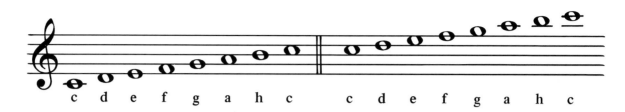

c d e f g a h c   c d e f g a h c

Suche die Notennamen auf Glockenspiel und Xylophon.
Findest du sie alle?

Melodien ohne Ende

Versuche für jede Reihe einen passenden Schluß zu finden.
Probiere auf dem Glockenspiel und singe dazu.

Lücken im Notenbild

Gavotte von Georg Friedrich Händel:

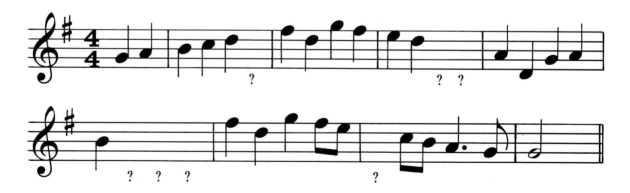

Ergänze die fehlenden Noten.

Hier stimmt etwas nicht

Spiele das französische Lied so, wie es hier steht.

Sur le pont d'A - vi - gnon l'on y dan-se, l'on y dan - se . . . .

Ein Ton klingt anders, als du ihn haben möchtest.

Welcher? . . . . Zu hoch oder zu tief? . . . .

Versuche einmal so zu spielen:

Sur le pont d'A - vi - gnon l'on y dan-se, l'on y dan - se . . . .

Diesmal will ein anderer Ton nicht passen.

Welcher? . . . . Ist er zu hoch oder zu tief? . . . .

Des Rätsels Lösung

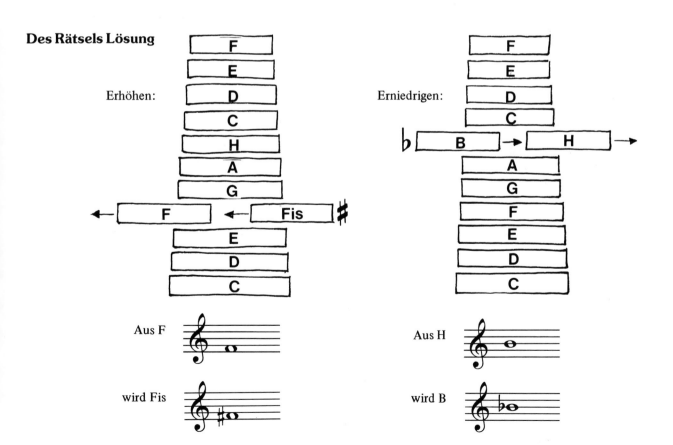

61

Das Auflösungszeichen ♮ macht ♯ oder ♭ wieder ungültig.

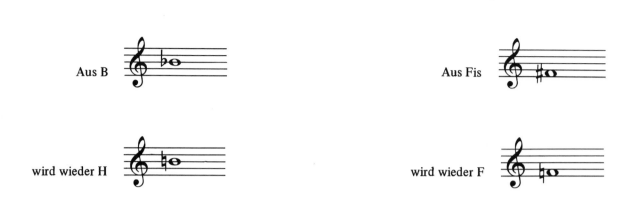

Aus B wird wieder H

Aus Fis wird wieder F

Wie gut haben wir es beim Klavier!

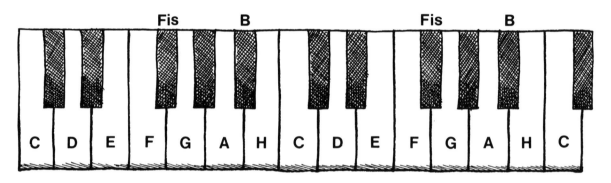

Alle erhöhten oder erniedrigten Töne
sind als schwarze Tasten immer gleich da.

Ei du feiner Reiter

Hier steht nur die Oberstimme. Zeige mit beim Hören.

Wo werden bei diesem Klavierstück schwarze Tasten gebraucht?

Laut und leise

So:

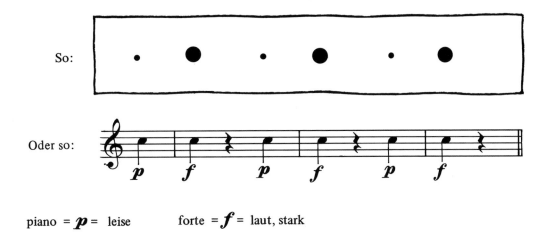

Oder so:

piano = $\boldsymbol{p}$ = leise   forte = $\boldsymbol{f}$ = laut, stark

Die Waldhörner und das Echo

Wo muß ein $\boldsymbol{f}$ und wo muß ein $\boldsymbol{p}$ stehen?
Trage ein.

Noch lauter – noch leiser

fortissimo	$\boldsymbol{ff}$	sehr stark, sehr laut
forte	$\boldsymbol{f}$	stark, laut
mezzoforte	$\boldsymbol{mf}$	mittelstark, mittellaut
mezzopiano	$\boldsymbol{mp}$	mittelleise
piano	$\boldsymbol{p}$	leise
pianissimo	$\boldsymbol{pp}$	sehr leise
crescendo	◁	allmählich lauter werden
decrescendo	▷	allmählich leiser werden.

Ein Musikstück auf einem Ton

Zum Hören und Mitlesen

Für Blockflöte
„Was solln wir auf den Abend tun?"

Für Klavier
„Wiegenlied"

Für Geige und Klavier
Andante

Für Chor und Schlaginstrumente
„Sur le pont d'Avignon"

Sur le pont d'A-vig-non l'on y dan-se, l'on y dan-se,

sur le pont d'A-vig-non l'on y dan-se tout en rond.

Schallbilder UND Noten

Dies ist der Schluß eines Stückes
für elektrisch erzeugte Töne, Blockflöte und Klavier.
Hier werden Klangbilder und Noten gebraucht.
Weshalb wohl?

Die kleine Hexe

Morgens früh um sechs kommt die klei-ne Hex.

Mor - gens früh um sie - ben schabt sie gel - be Rü - ben. Mor - gens

früh um acht wird Kaf - fee gemacht. Morgens früh um neu - ne geht sie in die

Scheu-ne. Mor-gens früh um zehn holt sie Holz und Spän. Feu-ert an um

el - fe, kocht dann bis um zwöl - fe:
Frö-sche - bein und Krebs und Fisch,
hur -tig Kin - der, kommt zu Tisch.

Ergänze die fehlenden Schallbilder und trage die Bedeutung
der weiteren Zeichen in dieses Kästchen ein.

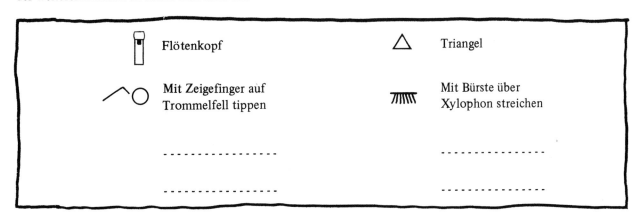

Flötenkopf   Triangel

Mit Zeigefinger auf   Mit Bürste über
Trommelfell tippen   Xylophon streichen

- - - - - - - - - - - - - -   - - - - - - - - - - -

- - - - - - - - - - - - - -   - - - - - - - - - - -

Wie Musik gemacht ist

Was man hören kann

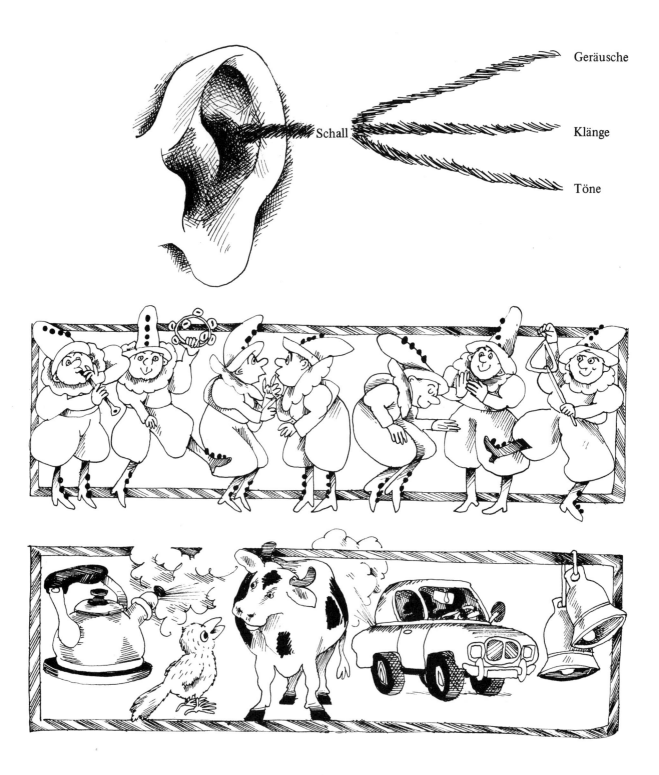

Male die Figuren aus.

Was Töne macht	—	mit ROT
Was Klänge macht	—	mit GRÜN
Was Geräusche macht	—	mit BLAU

Aus Lärm wird Musik

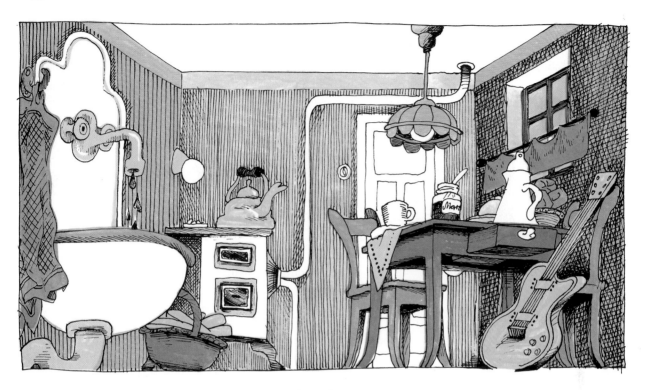

Was ist hier im Klangbeispiel zu diesem Bild alles zu hören?
An welcher Stelle beginnt die Musik?

Warst du schon einmal im Konzert?
Vom Tonband ist nicht nur Musik zu hören.
Berichte!

Gleich – ähnlich – verschieden

Zwillinge   Schwesterchen   Freundin

So kannst du vieles miteinander vergleichen — auch Tonfolgen.
Jedes Instrument hörst du zweimal. Ist die zweite Tonfolge

- gleich (a) ?
- ähnlich (a ') ?
- verschieden (b) ?

Trage ein.

Der polnische Ochsenkarren

Je näher er kommt, desto größer erscheint er.
Zeichne, wie der Ochsenkarren wieder fortfährt.

Drei Musikstücke zum Hören:

(1) Ochsenkarren („Bydlo" von M. P. Mussorgsky)

(2) Ständchen („Serenade" von J. Haydn)

(3) Wirbelwind („Les tourbillons" von W. Egk)

Ein Stück verläuft gleichförmig.

     Welches? ◯

Zwei Stücke verlaufen ungleichförmig.
— Eins verändert sich allmählich.   Welches? ◯
— Eins verändert sich mehrmals plötzlich.   Welches? ◯

Schreibe als Antwort die richtige Zahl in die Kreise.

Bewege dich wie die Musik in einem dieser Stücke.
Die anderen Kinder sollen sagen, welches Stück du meinst.

Hänsel und Gretel

Eine Melodie aus Frage und Antwort·(a—b)

Gretel, Pastetel,
was machen die Gäns'? **a**

Sie sitzen im Wasser
und waschen die Schwänz'. **b**

Gretel, Pastetel,
was macht eure Kuh?

Gretel, Pastetel,
was macht euer Hahn?

Sie steht in dem Stalle
und macht immer „Muh".

Er sitzt auf der Mauer
und kräht, was er kann.

Solche Gespräche zu zweit kann man auch ohne Worte
auf Instrumenten spielen.
Versucht es.

Zeichne ein Schallbild und spiele.

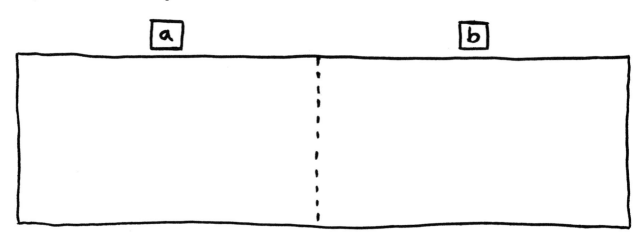

Die verzauberte Prinzessin

Eine dreiteilige Melodie (a b a)

Hätt ich einen Mann genommen,
wär ich nicht in' Teich gekommen.

Unk, unk, unk,
vor Zeiten war ich jung.

Unk, unk, unk,
vor Zeiten war ich jung.

Spielt selbst auf Instrumenten
— wieder zu zweit.

Melodien aus anderen Ländern

Einige sind zweiteilig, andere sind dreiteilig.
Kannst du sie unterscheiden?
Höre und trage ein.

1. Bretonisches Tanzlied   ◯ - teilig

2. Das schöne Mädchen (schottisch)   ◯ - teilig

3. Hirtenlied (bretonisch)   ◯ - teilig

4. Der Schäfer und seine Pfeife (englisch)   ◯ - teilig

5. Ungarisches Lied   ◯ - teilig

73

Eine Kette – selbst gemacht

Du kannst Perlen
in beliebiger Reihenfolge aufziehen –
wie es dir gerade gefällt.

Mit den Teilen einiger Musikstücke kannst du auch so verfahren,
zum Beispiel mit diesen Tanzmelodien von Melchior Franck:

Vom Tonband hörst du 5 Stücke,
die aus diesen Teilen zusammengesetzt sind.

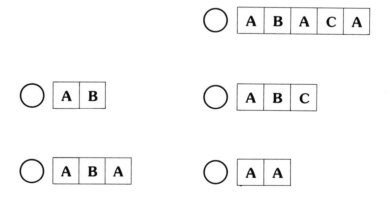

Hier stimmt aber die Reihenfolge nicht.

Gib durch die Zahlen ① ② ③ ④ ⑤ an, wie sie sein muß.

Bau dir selbst Musikstücke!

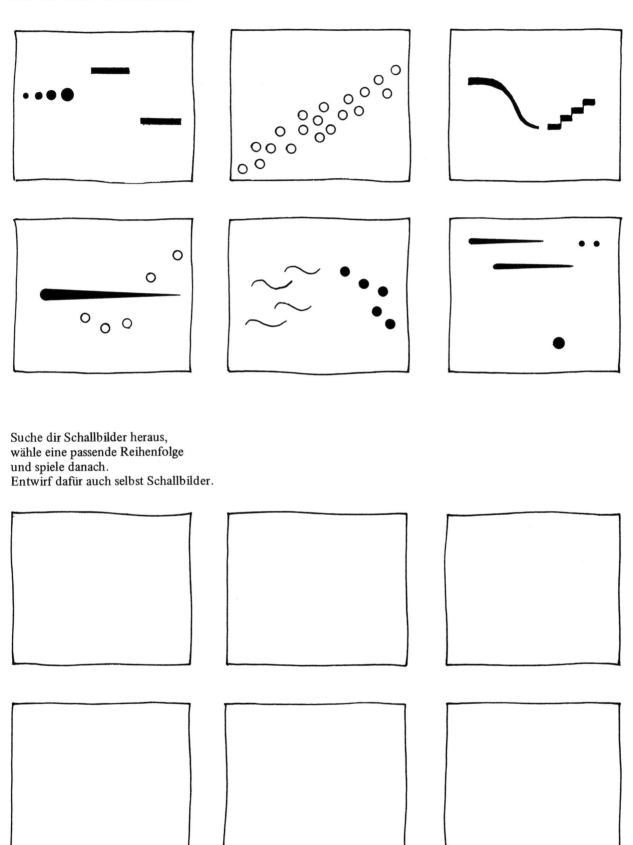

Suche dir Schallbilder heraus,
wähle eine passende Reihenfolge
und spiele danach.
Entwirf dafür auch selbst Schallbilder.

Was ist ein Rondo?

A Alle singen und spielen:

Je - der spielt so gut er kann, und jetzt kommt der Näch-ste dran.

B Rainer spielt auf dem Xylophon etwas Lustiges — so wie es ihm gerade einfällt.

A Alle singen und spielen wieder:

Je - der spielt so gut er kann . . . .

C Marion spielt auf dem Glockenspiel etwas Trauriges.

A Alle singen und spielen wieder:

Je - der spielt so gut er kann . . . .

D Arne spielt auf den Pauken etwas Wütendes.

A Alle singen und spielen wieder:

Je der spielt so gut er kann . . . .

Ihr könnt das Spiel solange fortsetzen,
bis zum Zwischenspiel alle einmal dran gewesen sind.

Höre nun
„Die Wut über den verlorenen Groschen" von Ludwig van Beethoven.

Wie oft hörst du den Teil A — das Rondothema?

Höre nun zwei andere Stücke.

Carl Orff: Bumfallera
Johann Sebastian Bach: Gavotte

Hier kannst du die Teile deutlich unterscheiden.
Trage sie in diese Kästchenreihen ein.

A									

Weißt du nun, was ein Rondo ist?

Ein Rondo aus Schallbildern

Denk es dir selber aus
und spiele es zusammen mit einigen Mitschülern.

Spiel mit einem Wollfaden

Nimm dir einen Faden – nicht zu dünn und nicht zu lang.

Feuchte ihn an und lege ihn wie einen Strich auf den Boden.

Nun verändere seine Form so, daß verschiedene Figuren entstehen.
Wieviel Veränderungen (Variationen) findest du?
Zeichne einige davon auf.

1. Variation

2. Variation

3. Variation

4. Variation

Findest du noch weitere Variationen?

5. Variation

6. Variation

Zwei kleine Lieder

und was zwei große Komponisten daraus machten:

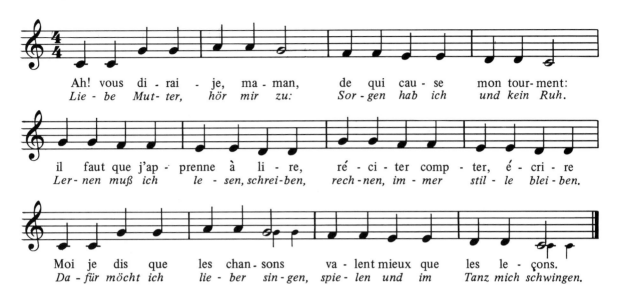

Ah! vous di - rai - je, ma - man, de qui cau - se mon tour - ment:
Lie - be Mut - ter, hör mir zu: Sor - gen hab ich und kein Ruh.

il faut que j'ap - prenne à li - re, ré - ci - ter comp - ter, é - cri - re
Ler - nen muß ich le - sen, schrei - ben, rech - nen, im - mer stil - le blei - ben.

Moi je dis que les chan - sons va - lent mieux que les le - çons.
Da - für möcht ich lie - ber sin - gen, spie - len und im Tanz mich schwingen.

Wolfgang Amadeus Mozart schrieb darüber Variationen für Klavier.

Geh im Gaß - le rauf und run - ter, hän - gen schwar - ze Kir - schen run - ter:

Schwar - ze Kir - schen eß ich gern, Jung - fer Nan - ni hätt ich gern.

Joseph Haydn schrieb darüber die berühmten Variationen
in der Sinfonie mit dem Paukenschlag.

Was wir singen und sagen

Frühling und Sommer

Singt ein Vogel im Märzenwald

1. Singt ein Vogel, singt ein Vogel, singt im Mär - zen - wald;

kommt der hel - le, der hel - le Früh - ling, kommt der Früh - ling bald.

1.-3. Komm doch, lie - ber Früh - ling, lie - ber Früh - ling, komm doch bald her - bei,

jag den Win - ter, jag den Win - ter fort und mach das Le - ben frei!

2. Blüht ein Blümlein, blüht ein Blümlein, blüht im Märzenwald . . .

3. Scheint die Sonne, scheint die Sonne, scheint im Märzenwald . . .

April, April!

A - pril, A - pril, kann ma - chen was er will, Son - nen - schein und Re - gen

bringt der Er - de Se - gen, warm und trok - ken, kalt und naß, was ist das?

Hier ist eine zweite Stimme im Spiegelbild:

A - pril, A - pril, kann ma - chen was er will, Son - nen - schein und Re - gen

bringt der Er - de Se - gen, warm und trocken, kalt und naß, was ist das?

Der Winter ist vorüber

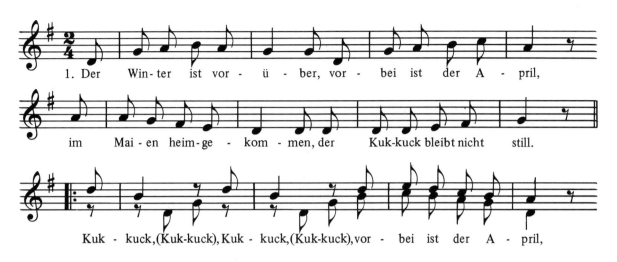

1. Der Winter ist vor - ü - ber, vor - bei ist der A - pril,
im Mai - en heim - ge - kom - men, der Kuk-kuck bleibt nicht still.
Kuk - kuck, (Kuk-kuck), Kuk - kuck, (Kuk-kuck), vor - bei ist der A - pril,
im Mai - en heim - ge - kom - men, der Kuk - kuck bleibt nicht still.

2. Da droben im Gebirge ist aller Schnee zertaut,
   der alte Schelm, der Kuckuck, schaut, wo ein Nest gebaut.

3. Die Schöne hinterm Fenster schaut sich die Augen aus
   und hofft, daß ihr der Kuckuck den Liebsten bringt nach Haus.

4. Der Mai, der liebe Maien, das ist die beste Zeit,
   er läßt die Liebe blühen, sobald der Kuckuck schreit.

Begleitstimme für Xylophon:

insgesamt 3-mal

Der Leiermann

Ich bin der Leiermann.
Hört meinen Leierkasten an!
Ich drehe und drehe und werde nicht müd
Und singe tagtäglich mein ewiges Lied:
Ich hab keine Mutter,
Ich hab keinen Vater,
Ich hab keinen Hund,
Und
Ich hab keinen Kater,
Ich habe kein Bett,

Und
Ich hab keinen Teller,
Ich habe kein Brot,
Und
Ich hab keinen Heller,
Ich hab keine Suppe,
Und
Muß immer fasten,
Doch hab ich,
Doch hab ich
Den Leierkasten!

Auf einem Baum ein Kuckuck

1. Auf ei - nem Baum ein Kuk - kuck,
sim - sa - la -dim, bam - ba, sa - la - du, sa - la -dim;
auf ei - nem Baum ein Kuk - kuck saß.

2. Da kam ein junger Jägers . . . mann.

3. Der schoß den armen Kuckuck . . . tot.

4. Und als ein Jahr vergangen . . . war,

5. da war der Kuckuck wieder . . . da.

Vagabundenlied

Einer hieß Pelle
und einer hieß Funkel,
sie waren zwei Vagabunden.
Sie liebten das Helle,
sie liebten das Dunkel
und sangen alle Stunden.

Lang war die Straße,
und leer war der Magen,
sie waren zwei Vagabunden.
Sie taten die Nase
gen Himmel tragen
und sangen alle Stunden.

Steckten sich Sterne in ihre Taschen,
sie waren zwei Vagabunden.
Und füllten die Sonne
in Branntweinflaschen
und sangen alle Stunden.

Hört ihr den Vogel schrein

Hört ihr den Vo - gel schrein, was kann das für ein Vo - gel sein?
Der Kuk - kuck, der Kuk - kuck, der Kuk - kuck, der Kuk - kuck!

Komm herbei, du schöner Mai

1. Komm her - bei, du schö - ner Mai.

An den We - gen, auf den Wie - sen

laß die bun - ten Blu - men sprie - ßen,

denn der Win - ter ist vor - bei.

Komm her - bei, komm her - bei du schö - ner Mai.

2. Komm herbei, du schöner Mai.
   Laß die Bächlein wieder springen
   und die Vögel fröhlich singen,
   mach die Herzen wieder frei.
   Komm herbei, komm herbei du schöner Mai.

Kommt die liebe Sommerszeit

1. Kommt die lie - be Som - mers - zeit, trägt der Wald ein grü - nes Kleid,

und der Kuckuck, Kuckuck, Kuckuck, der Kuckuck, der Kuk - kuck schreit.

2. Wenn du dann den Kuckuck fragst,
   wie lang du noch leben magst,
   ruft der Kuckuck, Kuckuck, Kuckuck,
   der Kuckuck wohl hundertmal.

3. Hast du einen Pfennig dann,
   wirst du wohl ein reicher Mann,
   weil der Kuckuck, Kuckuck, Kuckuck,
   der Kuckuck das machen kann.

4. Hast du keinen Pfennig nicht,
   bleibst du stets ein armer Wicht,
   doch den Kuckuck, Kuckuck, Kuckuck,
   den Kuckuck, den kümmert's nicht.

Grüß Gott, du schöner Maien

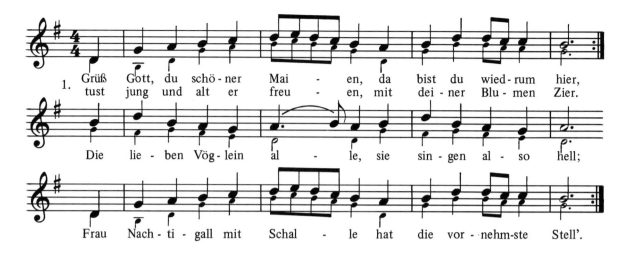

1. Grüß Gott, du schö - ner Mai - en, da bist du wied - rum hier,
tust jung und alt er freu - en, mit dei - ner Blu - men Zier.

Die lie - ben Vög - lein al - le, sie sin - gen al - so hell;

Frau Nach - ti - gall mit Schal - le hat die vor - nehm - ste Stell'.

2. Die kalten Wind' verstummen, der Himmel ist gar blau,
   die lieben Bienlein summen daher auf grüner Au.
   O holde Lust im Maien, da alles neu erblüht,
   du kannst mir sehr erfreuen mein Herz und mein Gemüt.

Was noch frisch und jung an Jahren

1. Was noch frisch und jung an Jah - ren, das geht jetzt auf Wan - der - schaft,
um was Neu - es zu er - fah - ren, keck zu pro - ben sei - ne Kraft.

Bleib nicht sit - zen in dein'm Nest, Rei - sen ist das al - ler - best!

2. Fröhlich klingen unsre Lieder, und es grüßt der Amsel Schlag,
   auf, so laßt uns reisen, Brüder, in den hellen jungen Tag!

3. Also gehn wir auf die Reise in viel Städt und fremde Land,
   machen uns mit ihrer Weise, ihren Künsten wohl bekannt!

Wir reisen ins Sommerland

1.-3. Wir rei - sen ins Som - mer - land, Som - - - - mer - land, wir

rei - sen ins Som - mer - land, Som - mer - land hin - ein.

1. In Wäl - dern und Au - en den Som - mer zu er - schau - en:
2. An Flüs - sen und Se - en den Som - mer zu er - spä - hen:
3. Mit Sin - gen und Sprin - gen den Som - mer zu er - rin - gen:

wir rei - sen ins Som - mer - land, Som - mer - land hin - ein!

Abenteuer einer Flöte

Es war einmal eine Flöte, die lag immer in einer dunklen Schublade
und hätte so gern auch einmal etwas von der Welt gesehen.
Eines Tages hatte Jantje die Schublade offengelassen.
Heimlich schlich die Flöte heraus, schlängelte sich durch das ganze Zimmer,
machte sich ganz dünn und schlüpfte durchs Schlüsselloch
und kam schließlich in den Garten.

„Oh, ist es hier schön!" sagte die Flöte und pfiff sich ein Liedchen.
Da sah sie einen Apfelbaum und kletterte hinauf.
„Ei was für schöne rote Äpfel hängen hier", sagte die Flöte
und aß einen ganzen Apfel auf.
Da kam ein Vogel angeflogen und fragte: „Wer bist du denn?" —
„Ich bin eine Flöte", sagte die Flöte ...

Jeder kann sich ausdenken, wie die Geschichte weitergeht ...
Sie kann mit Instrumenten begleitet oder ganz in Musik erzählt werden.

Tanz und Spiel

Es führt über den Main

1. Es führt über den Main eine Brücke von Stein, wer darüber will gehn, muß im Tanze sich drehn. Fa la la la la, fa la la la.

2. Kommt ein Fuhrmann daher, hat geladen gar schwer,
   seiner Rösser sind drei, und sie tanzen vorbei.

3. Und ein Bursch ohne Schuh und in Lumpen dazu,
   als die Brücke er sah, ei wie tanzte er da.

4. Kommt ein Mädchen allein auf die Brücke von Stein,
   faßt ihr Röckchen geschwind, und sie tanzt wie der Wind.

5. Und der König in Person steigt herab von seinem Thron,
   kaum betritt er das Brett, tanzt er gleich Menuett.

6. Liebe Leute herbei! Schlagt die Brücke entzwei!
   Und sie schwangen das Beil, und sie tanzten derweil.

7. Alle Leute im Land kommen eilig gerannt:
   Bleibt der Brücke doch fern, denn wir tanzen so gern!

8. Es führt über den Main eine Brücke von Stein,
   wir fassen die Händ, und wir tanzen ohn End.

Kennt ihr schon Avignon?

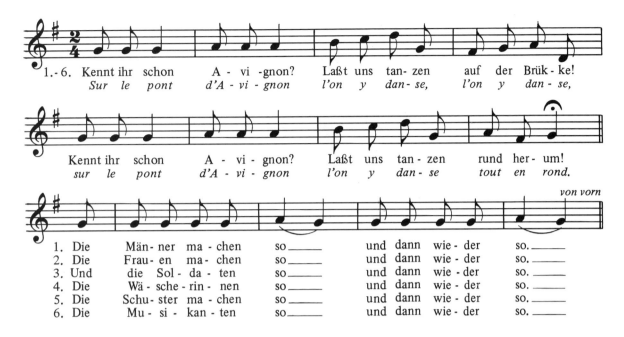

1.-6. Kennt ihr schon A - vi -gnon? Laßt uns tan - zen auf der Brük - ke!
Sur le pont d'A - vi - gnon l'on y dan - se, l'on y dan - se,

Kennt ihr schon A - vi - gnon? Laßt uns tan - zen rund her - um!
sur le pont d'A - vi - gnon l'on y dan - se tout en rond.

von vorn

1. Die Män - ner ma - chen so_____ und dann wie - der so._____
2. Die Frau - en ma - chen so_____ und dann wie - der so._____
3. Und die Sol - da - ten so_____ und dann wie - der so._____
4. Die Wä - sche - rin - nen so_____ und dann wie - der so._____
5. Die Schu - ster ma - chen so_____ und dann wie - der so._____
6. Die Mu - si - kan - ten so_____ und dann wie - der so._____

Heute tanzen alle

1. Heu - te tan - zen al - le, hei - ßa, im Hüh - ner - stal - le.

1.-5. Tra - la - la - la - la, la - la und rund her - um;

heu - te tan - zen al - le!

2. Erst kommt unser Vater,
   tanzt mit dem alten Kater.

3. Nach ihm kommt die Mutter,
   tanzt mit dem Faß voll Butter.

4. Grete mit der Ziege
   tanzt auf der Hühnerstiege.

5. Und der Hans, der kleine,
   tanzt nur mit sich alleine.

Werft 'nen Heller

1. Werft 'nen Hel-ler auf den run-den Tel-ler, Tel-ler!
Tanz, Maruschka, — tanz, Pe-trusch-ka, — dreht euch im-mer schnel-ler. schnel-ler!

2. Ihr müßt singen, Dudelsack wird klingen.
   Tanz Maruschka, tanz, Petruschka, sollt im Kreise schwingen!

Sascha geizte mit den Worten

1. Sa-scha geiz-te mit den Wor-ten ü-ber-all und
   konn-te ho-he Bo-gen spuk-ken, fröh-lich mit den
   al-ler-or-ten. Nja, nja, nja, nja, nja, nja,
   Oh-ren zuk-ken.
   nja, nja, nja, nja, nja, nja, nja, nja. Hei!

2. Saschas Vater wollt' mit Pferden
   reich und wohlbehäbig werden;
   viele drehten manche Runde,
   zehn Kopeken in der Stunde . . .

3. Sascha liebte nur Geflügel,
   Rosse hielt er streng am Zügel,
   tat sie striegeln oder zwacken
   an den beiden Hinterbacken . . .

4. Und die kleinen Pferdchen haben
   Sascha, diesen Riesenknaben,
   irgendwoherum gebissen
   und die Hose ihm zerrissen . . .

Didel dadel du!

1. Di - del da - del du! Ma - riann ver - lor den Schuh,
der Hans ver - lor den Fi - del - bo - gen, was ist da zu tun?
Ja, was ist da zu tun? Ja, was ist da zu tun?
Der Hans ver - lor den Fi - del - bo - gen, was ist da zu tun?

2. Didel dadel du!
   Nun sag mir, was ich tu!
   Bis Hansel seinen Bogen findt,
   tanz ich halt ohne Schuh.
   Ja, didel dadel du!
   Nun sag mir . . .

3. Didel dadel du!
   Mariann fand ihren Schuh:
   und Hans fand seinen Fidelbogen,
   didel dadel du.
   Ja, didel dadel du!
   Mariann fand . . .

4. Didel dadel du!
   Mariann tanzt immerzu
   mit Hans und seinem Fidelbogen,
   didel dadel du.
   Ja, didel dadel du!
   Mariann tanzt . . .

Wir sind die Musikanten

Einzelne
Wir sind die Mu - si - kan - ten und komm'n aus Schwa - ben - land.

Alle
Wir sind die Mu - si - kan - ten und komm'n aus Schwa - ben - land.

Einzelne
Wir kön - nen spie - len Vi - o-, vi - o-, vi - o - lin,

wir kön - nen spie - len Baß, Vi - ol und Flöt.

Alle
Und wir könn' tan - zen hop - sa - sa, hop - sa - sa, hop - sa - sa,

und wir könn' tan - zen hop - sa - sa, hop - sa - sa.

Spuk und Spaß

Rums dideldums

1. Rums di-del-dums di-del Du-del-sack, heu-te treib'n wir Scha-ber-nack heu-te wird Mu-sik ge-macht, ein-mal nur ist Fa-se-nacht.

2. Rums dideldums didel Fidelbogen,
   heute wird durchs Dorf gezogen.
   Keiner soll uns Narren kennen,
   uns bei unserm Namen nennen.

3. Rums dideldums didel Flötenloch,
   gebt uns was zu essen doch,
   fett und mager, süß und sauer,
   sei nicht geizig reicher Bauer.

4. Rums dideldums didel Paukenschlag,
   ab morgen zähl'n wir jeden Tag,
   bis das alte Jahr verklingt
   und das neue Fastnacht bringt.

Eletelefon

Es war einmal ein Elefant,
der griff zu einem Telefant —
O halt, nein, nein! Ein Elefon,
Der griff zu einem Telefon —
(Verflixt! Ich bin mir nicht ganz klar,
ob's diesmal so ganz richtig war.)

Wie immer auch, mit seinem Rüssel
Verfing er sich im Telefüssel;
Indes er sucht sich zu befrein,
Schrillt lauter noch das Telefein —
(Ich mach jetzt Schluß mit diesem Song
Von Elefuß und Telefong!)

Die Tiere machen Karneval

Die Tiere machen Karneval
Zu Marburg an der Lahn.
Der Hahn trägt einen Regenschirm
Und schreitet stolz voran.

Auf einem Fahrrad fährt der Bär,
In Stiefeln kommt der Ackergaul,
Die Gans hält einen Luftballon,
Die Kuh hat eine Pfeif im Maul.

Der Ziegenbock schreit Kikeriki,
Der Dachs schlägt einen Purzelbaum,
Der Uhu mit dem Jägerhut
Spielt Dudelsack, man glaubt es kaum.

Und wenn sie auf dem Berge sind,
Hoch oben vor dem Schloß,
Dann singen sie, dann tanzen sie,
Im Takte stampft das Roß.

Eins, zwei, drei

1. Eins, zwei, drei. Alt ist nicht neu. Neu ist nicht alt. Warm ist nicht kalt. Kalt ist nicht warm und reich ist nicht arm.

2. Eins, zwei, drei.
   Alt ist nicht neu.
   Arm ist nicht reich.
   Hart ist nicht weich.
   Frisch ist nicht faul.
   Ein Ochs ist kein Gaul.

3. Eins, zwei, drei.
   Alt ist nicht neu.
   Sauer ist nicht süß.
   Händ sind kein Füß.
   Füß sind kein Händ
   und's Lied hat ein End.

Wir haben ein Klavier

Wir ha-ben ein Kla-vier, ─── auf die-sem spielt ein Tier. ───
Es spielt dar-auf die En - te, sie tut, als ob sie's könn - te.
Du sollst dich nicht be - trü - ben, Kla - vier, Kla-fünf, Kla - sie - ben,
laß die Tan - te Il-se - bill auf dir wat-scheln wie sie will.
Heut am er - sten A - pril!

Ein Elefant marschiert durchs Land

Ein Elefant marschiert durchs Land
Und trampelt durch die Saaten.
Er ist von Laub und Wiesenheu
So groß und kühn geraten.

Es brechen Baum und Gartenzaun
Vor seinem festen Tritte.
Heut kam er durch das Tulpenfeld
Zu mir mit einer Bitte.

Er trug ein weißes Kreidestück
In seinem langen Rüssel
Und schrieb damit ans Scheunentor:
Sie, geht es hier nach Brüssel?

Ich gab ihm einen Apfel
Und zeigte ihm die Autobahn.
Da kann er sich nicht irren
Und richtet wenig an.

Trat ich heute vor die Türe

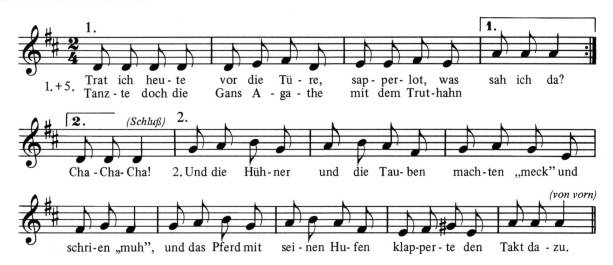

1.+5. Trat ich heu - te vor die Tü - re, sap - per - lot, was sah ich da?
Tanz - te doch die Gans A - ga - the mit dem Trut - hahn

Cha - Cha - Cha! 2. Und die Hüh - ner und die Tau - ben mach - ten „meck" und

schri - en „muh", und das Pferd mit sei - nen Hu - fen klap - per - te den Takt da - zu.

3. (Melodie 1:) Max, der Esel und die Schweine tanzten sehr vergnügt zu dritt.
Selbst die dicke Kuh Babette wiegte sich im Walzerschritt.

4. (Melodie 2:) Mieze bellte, Karo schnurrte, und die Ziege auf dem Mist
krähte sich die Kehle heiser, weil doch heute Fastnacht ist.

Ein Ele- Zwele- Trelefant

1. Ein E - le - Zwe - le - Tre - le - fant spa - zier - te durch den Wü - sten - sand und

ei - nes Ta - ges fand im Sand der E - le - fant ein Ei. Hei,

schnip - pel - di - pung, hei schnip - pel - di - peng, hei, der E - le - fant ein Ei.

2. (misterioso)
Der Ele- Zwele- Trelefant
war von dem Anblick ganz gebannt,
dann sagte er: ich bin so frei,
mich hungert nach dem Ei. Hei . . .

3. (ritardando)
Noch zauderte das gute Tier,
ob Ei gespiegelt oder rühr,
da tat das Ei 'nen kleinen Schrei
und ging von selbst entzwei. Hei . . .

4. (grazioso)
Heraus mit rosa Händchen
schlüpft flink ein Elefäntchen,
dem war so kalt, drum ging es halt
hinweg zum finstern Wald.

5. Dort wuchs der kleine Elefant
heran zum Zwele- Trelefant.
Und eines Tages fand im Sand
der Elefant ein Ei. Hei, . . .

Der Klabautermann

1. Ich weiß einen Mann, der heißt Klabautermann.
Er trägt einen Sack, ist voll mit Schnupftabak.
Er kann nicht gehn und kann nicht stehn
und kann im Kreise doch sich drehn!
Ich weiß einen Mann, der heißt Klabautermann.
Tralalala, lalalala lalala, rumpumpum, tralala, rumpumpum.
Ah! Ist das auch wahr, ich glaube fast? Ja!

Gepfiffen und geträllert

2. Ich weiß eine Frau, die heißt Klabauterfrau.
Sie ist kugelrund, ihr Rock ist kunterbunt.
Sie kann nicht gehn . . .

3. Ich weiß auch ein Kind, das heißt Klabauterkind.
Es hat Hosen an mit tausend Flicken dran.
Es kann nicht gehn . . .

Aus Glas

Manchmal denke ich mir irgendwas.
Und zum Spaß
Denke ich mir jetzt, ich bin aus Glas.

Alle Leute, die da auf der Straße gehen,
Bleiben stehen,
Um einander durch mich anzusehen.

Und die vielen anderen Kinder schrein:
Ei wie fein!
Ich, ich, ich will auch durchsichtig sein!

Doch ein Lümmel stößt mich in den Rücken.
Ich fall hin . . .
Klirr, da liege ich in tausend Stücken.

Ach, ich bleibe lieber, wie ich bin!

Der Jäger längs dem Weiher ging

1. Der Jäger längs dem Weiher ging. Lauf, Jäger lauf!
Die Dämmerung den Wald umfing.

1.-8. Lauf, Jäger lauf, Jäger lauf, lauf, lauf,
mein lieber Jäger, guter Jäger lauf, lauf, lauf,
mein lieber Jäger lauf, mein lieber Jäger lauf!

2. Was raschelt in dem Grase dort? . . .
Was flüstert leise fort und fort?

3. Was ist das für ein Untier doch? . . .
Hat Ohren wie ein Blocksberg hoch!

4. Das muß fürwahr ein Kobold sein! . . .
Hat Augen wie Karfunkelstein!

5. Der Jäger furchtsam um sich schaut . . .
Jetzt will ich's wagen — o, mir graut!

6. O Jäger, laß die Büchse ruhn . . .
Das Tier könnt dir ein Leides tun!

7. Der Jäger lief zum Wald hinaus, . . .
verkroch sich flink im Jägerhaus.

8. Das Häschen spielt im Mondenschein, . . .
ihm leuchten froh die Äugelein.

Rangstreitigkeiten

In einem Lumpenkasten
War große Rebellion,
Die feinen Lumpen haßten
Die groben lange schon.

Die Fehde tät beginnen
Ein Lümpchen von Batist,
Weil ihm ein Stück Sacklinnen
Zu nah gekommen ist.

Sacklinnen aber freilich
War eben Sackleinwand
Und hatte grob und eilig
Die Antwort bei der Hand:

„Von Ladies oder Schlumpen —
s' tut nichts zur Sache hier,
Du zählst jetzt zu den Lumpen
Und zählst nicht mehr wie wir."

Die Bremer Stadtmusikanten

1. Wir sind die wohl-be-kann-ten, lu-sti-gen Bre-mer Stadt-mu-si-kan-ten, mu-si-zie-ren und mar-schie-ren in die gro-ße Stadt hin-ein, denn in Bre-men soll das Le-ben lu-stig sein. I-a, wau wau, i-a, wau wau, mi-au, ki-kri-ki!

2. Wir sind die wohlbekannten, lustigen Bremer Stadtmusikanten!
   (Esel) Muß mich plagen, Säcke tragen und darf niemals müßig sein,
   doch in Bremen soll das Leben lustig sein. I—a, wau—wau, kikriki!

3. . . . (Hund) muß stets bellen, Räuber stellen, und darf niemals schläfrig sein . . .

4. . . . (Katze) Muß mich plagen, 's Mäuslein jagen, und wär es auch noch so klein . . .

5. . . . (Hahn) Muß mich schinden und verkünden schon den ersten Sonnenschein . . .

Regen und Sonnenschein

Was kommen die Wolken so hoch

1. Was kommen die Wolken so hoch gezogen und kommen nicht zu uns her, ja, wenn da der Regen nicht wär!

2. Was stehen die Birken im kalten Winde, die braunen Zweige sind leer,
   ja, wenn da der Regen nicht wär!

3. Was horchen die Bäche, die Ströme, die Seen und haben kein Wasser mehr,
   ja, wenn da der Regen nicht wär!

4. Was wollte die Erde mit all ihren Jahren, wenn nimmer ein Regen mehr wär,
   ja, wenn da der Regen nicht wär.

5. Den Regen, den Regen, den wollen wir loben wie Sonne und Sterne und Meer,
   ja, die Sonne hoch über dem Meer.

Regenschirme

Wenn die ersten Tropfen fallen,
lustig auf das Pflaster knallen,
blühen sie wie Blumen auf.
Bunt gestreifte, bunt gefleckte,
bunt getupfte, bunt gescheckte
nehmen fröhlich ihren Lauf.
Seit die ersten Tropfen fielen,
schweben sie auf dünnen Stielen,
leuchtend, schimmernd, rund und glatt.
Bunt gestreifte, bunt gefleckte,
bunt getupfte, bunt gescheckte
Schirme blühen in der Stadt.

Der Regenbogen

Ein Regenbogen,
komm und schau:
rot und orange,
gelb, grün und blau.

So herrliche Farben
kann keiner bezahlen,
sie über den halben
Himmel zu malen.

Ihn malte die Sonne
mit goldener Hand
auf eine wandernde
Regenwand.

So schein', so schein' du Sonne

1. So schein', so schein' du Son - ne, du— lich - te, kla - re Sonn',

so schein', so schein' du Son - ne, du— lich - te, kla - re Sonn'.

2. |: Wie will ich denn wohl scheinen, wenn ich so traurig bin! :|

3. Der Rauch am frühen Morgen aus eurer großen Stadt, er zieht in Wolken zu mir her, macht mir die Äuglein matt.

4. |: So schein, so schein, du Sonne, du lichte klare Sonn'! :|

5. |: Wie will ich denn wohl scheinen, wenn ich so traurig bin! :|

6. Von euren großen Straßen steigt auf zu mir ein Wind, bläst mir den Staub entgegen, macht mir die Äuglein blind.

7. |: So schein, so schein, du Sonne . . . :|

8. |: Wie will ich denn wohl scheinen . . . :|

9. Die einen tun mich schelten, weil ich so früh aufsteh, die andern, die sind bös' auf mich, wenn so spät ich untergeh'!

10. |: So schein, so schein, du Sonne . . . :|

Nebel, Nebel, weißer Hauch

Ne - bel, Ne - bel, wei - ßer Hauch, wal - le ü - ber Baum und Strauch!

Ne - bel, Ne - bel, wei - ße Wand, flie - ge hin ins wei - te Land,

flie - ge ü - ber Tal und Höhn, laß die gold - ne Son - ne sehn! Ne - bel!

Alle Wetter! Was für'n Wetter!

1. Al - le Wet - ter! Was für'n Wet - ter! 's reg - net klei - ne Kie - sel -
stei - ne! Zieht euch dik - ke Stie - fel an, dann seid ihr nicht ü - bel dran!

2. Autos rasen durch die Straßen, dicke Pfützen hoch aufspritzen.
Regenschirm, ein guter Schutz, ist für unten gar nichts nutz.

3. Lustig klopfen Regentropfen auf die Steine, an die Beine.
Kocht euch heißen Fliedertee, der vertreibt das Magenweh.

4. Regengüsse, kalte Füße, Schnupfen, Prusten, Dauerhusten:
Pfefferminze und Menthol machen wieder pudelwohl.

Der Regenmann

1. Am Bahn-damm wohnt der Re-gen-mann, am gro-ßen Mük-ken - was - ser.
Der zieht sich blau - e Stie - fel an und geht durch uns - re Stadt so - dann,
und es wird im - mer nas - ser und es wird im - mer nas - ser.

2. Es grüßt ihn jedes Funkellicht
und jedes helle Fenster.
Und nur die Menschen grüßen nicht,
und er sieht allen ins Gesicht
und fragt: „Seid ihr Gespenster?"
Und fragt: „Seid ihr Gespenster?"

3. „Das mußt du doch begreifen, Mann!
Steh du hier mal'ne Stunde
und warte auf die Straßenbahn —
und dann fängt's noch zu regnen an —
man geht ja vor die Hunde!
Man geht ja vor die Hunde!

4. Da geht der Regenmann nach Haus,
hört auf, sich rumzutreiben.
Kriecht wieder in sein Bretterhaus
und zieht die blauen Stiefel aus —
und läßt das Fragen bleiben,
und läßt das Fragen bleiben.

Der Sommer, der Sommer

1.-4. Der Som - mer, der Som - mer, ach Gott, was fang ich an?

1. Man sieht nicht Korn noch Blu - men mehr, und al - le Fel - der ste - hen leer.

1.-4. Ach Som - mer, ach Som - mer, ach Som-mer, du mußt gahn.

2. Was gestern grün, vergeht geschwind,
   und durch die Wälder fährt der Wind.

3. Der Herbstwind hat sich eingestellt,
   er jagt die Blätter übers Feld.

4. Die Welt will weißes Kleid anziehn,
   die Sonn darf nicht mehr früh aufstehn.

Will niemand singen

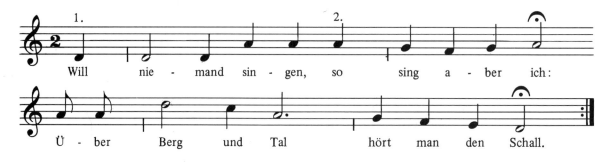

Will nie - mand sin - gen, so sing a - ber ich:
Ü - ber Berg und Tal hört man den Schall.

Winter und Weihnachten

Ihr Sterne, ihr Sterne

1. Ihr Ster - ne, ihr Ster - ne, wie wirds euch er - gehn! Brennt
mei - ne La - ter - ne, wird kei - ner euch sehn.
Groß und rund, rot und bunt, trag ich sie am Stek - ken.
Brennt mein hel - les Licht mir aus, geh' für heu - te ich nach Haus.

2. Du Mond, zieh' die Wolken dir schnell vors Gesicht,
   hell wie die Laterne, so leuchtest du nicht.
   Groß und rund, . . .

Sankt Martin

1. Sankt Mar - tin, Sankt Mar - tin,
Sankt Mar-tin ritt durch Schnee und Wind, sein Roß, das trug ihn fort ge - schwind.
Sankt Mar-tin ritt mit leich-tem Mut, sein Man - tel deckt ihn warm und gut.

2. |: Sankt Martin! :| im Schnee da saß ein armer Mann,
   hatt' Kleider nicht, hatt' Lumpen an.
   „O helft mir doch in meiner Not,
   sonst ist der bittre Frost mein Tod!"

3. |: Sankt Martin, :| Sankt Martin zieht die Zügel an;
   das Roß steht still beim armen Mann.
   Sankt Martin mit dem Schwerte teilt
   den warmen Mantel unverweilt.

4. |: Sankt Martin, :| Sankt Martin gibt den halben still,
   der Bettler rasch ihm danken will.
   Sankt Martin aber ritt in Eil
   hinweg mit seinem Mantelteil.

Weihnachtszeit kommt nun heran

1. Weih-nachts-zeit kommt nun her-an, Ster-ne leuch-ten hell. Ru-precht, blas' die Wol-ken an, daß der Schnee bald fal-len kann, Win-ter ist zur Stell!

2. Mond sieht aus dem Wolkentor:
„Ist es noch nicht Zeit?"
Ruprecht spann den Schimmel an,
daß Frau Holle reisen kann.
Ihre Fahrt ist weit.

3. Pack dir Heu und Häcksel ein,
ihr müßt lange fahren.
Ruprecht, zünd die Lichtlein an,
daß Frau Holle sehen kann,
ob wir fleißig waren.

4. Ist das Säcklein leer gemacht
bis zum letzten Rest,
Ruprecht, blas' die Wolken an,
daß Frau Holle singen kann
uns zum frohen Fest.

O Tannenbaum, o Tannenbaum

1. O Tan-nen-baum, o Tan-nen-baum, du trägst ein' grü-nen Zweig den Win-ter, den Som-mer, das dau'rt die lie-be Zeit.

2. „Warum soll ich nicht grünen, da ich noch grünen kann?
Ich hab nicht Vater noch Mutter, die mich versorgen kann.

3. Und der mich kann versorgen, das ist der liebe Gott;
der läßt mich wachsen und grünen, drum bin ich schlank und groß."

Es sungen drei Engel

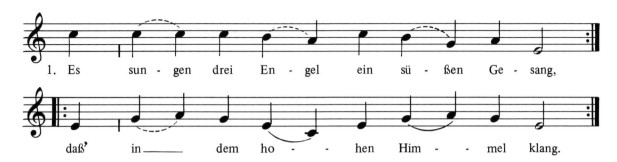

1. Es sun-gen drei En-gel ein sü-ßen Ge-sang,
daß' in ___ dem ho - hen Him - mel klang.

2. Sie sungen, sie sungen also wohl, den lieben Gott wir loben solln.

3. Wir heben an, wir loben Gott, wir rufen ihn an, es tut uns not.

4. Maria, Gotts Mutter, reine Magd, all unser Not sei dir geklagt.

5. All unser Not und unser Pein, das wandel uns Mariae Kindelein.

Was soll das bedeuten?

1. Was_ soll das be - deu - ten? Es_ ta - get ja_ schon;
ich _ weiß wohl, es_ geht erst um_ Mit - ter - nacht rum.
Schaut nur_ da - her! Schaut nur_ da - her! Wie _
glän - zen die_ Stern - lein, je_ län - ger, je mehr.

2. Treibt zusammen, treibt zusammen die Schäflein fürbaß!
Treibt zusammen, treibt zusammen, dort zeig ich euch was:
Dort in dem Stall, dort in dem Stall,
werdet Wunderding sehen, treibt zusammen einmal.

3. Ich hab nur ein wenig von weitem geguckt,
da hat mir mein Herz schon vor Freuden gehupft:
Ein schönes Kind, ein schönes Kind,
liegt dort in der Krippe bei Esel und Rind.

4. Ein herziger Vater, der steht auch dabei,
eine wunderschöne Jungfrau kniet auch auf dem Heu.
Um und um singts, um und um klingts,
man sieht ja kein Lichtlein, so um und um brinnts.

Melchior und Balthasar

1. Mel-chi-or und Bal-tha-sar sind aus Af-ri-ka, aus
Af-ri-ka ge-kom-men. Mel-chi-or und Bal-tha-sar
sind aus Af-ri-ka ge-kom-men samt Kas-par,
sind aus Af-ri-ka ge-kom-men samt Kas-par.

2. Kommen an in Bethlehem, packen aus ihr Manna, packen aus ihr Manna,
kommen an in Bethlehem, |:haben ihre Henkelkörbe ausgepackt.:|

3. Haben Hunger wie ein Wolf, weit war ihre Reise, weit war ihre Reise,
haben Hunger wie ein Wolf, |:alles haben sie verschlungen, was da war.:|

Vom Himmel hoch

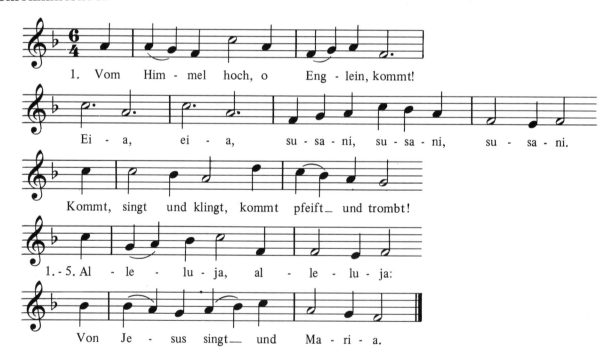

1. Vom Him-mel hoch, o Eng-lein, kommt!
Ei - a, ei - a, su-sa-ni, su-sa-ni, su-sa-ni.
Kommt, singt und klingt, kommt pfeift und trombt!
1.-5. Al-le-lu-ja, al-le-lu-ja:
Von Je-sus singt und Ma-ri-a.

2. Kommt ohne Instrumente nit, eia . . .
bringt Lauten, Harfen, Geigen mit!

3. Die Stimmen müssen lieblich gehn, eia . . .
und Tag und Nacht nicht stille stehn.

4. Das Saitenspiel muß lauten süß, eia . . .
davon das Kindlein schlafen müss.

5. Singt Fried den Menschen weit und breit, eia . . .
Gott Preis und Ehr in Ewigkeit!

Lieb Nachtigall, du kleine

1. Lieb Nach - ti - gall, du klei - ne, flieg hin, du lie - bes
Vö - ge - lein, die Hir - ten auf der Wei - de, sie__ har - ren
dein. Der Weg, der ist nun nim - mer weit.

2. Die Nachtigall sich schwinget hin über Berg und tiefes Tal.
   Auf hohem Zweig sie singet mit lautem Schall:
   O Hirten, freut euch allzumal!

3. Ein Stern, der kam gezogen, steht überm Stalle hell und groß,
   ein Kind ward euch geboren gar arm und bloß.
   Es schläft auf seiner Mutter Schoß.

4. Da ward die Nacht so helle von tausend schöner Sterne Schein,
   die Hirten liefen schnelle zum Stalle ein.
   Und fanden da das Kindelein.

5. „Du hast uns wohl gesungen ein Liedlein, das uns fröhlich macht!"
   Das Vöglein kam gesprungen aufs Kripplein sacht.
   Es sang die ganze heilge Nacht.

Kommet all und seht

1. Kom - met all und seht:
Vor dem Hau - se steht ein di - cker Mann und lacht, der ist aus Schnee ge - macht.

2. Einen blauen Topf hat er auf dem Kopf,
   das ist sein neuer Hut, und der gefällt ihm gut.

3. Unser Schneemann weint, wenn die Sonne scheint,
   das ist ihm gar nicht recht, denn das bekommt ihm schlecht.

Heute wolln wir rodeln

Heu - te wolln wir ro - deln, ro - deln, ro - deln,

folgt Zwischenruf
① oder ② oder ③ oder ④

heu - te wolln wir ro - deln: flink den Berg hin - ab!

Zwischenrufe

① *(folgt Lied)*

Ei, da steht ein ar - mer Wicht;
dem ge - fällt das Ro - deln nicht,
steht da o - ben auf dem Berg
wie ein klei - ner Hut - zel - zwerg:

②

Bahn frei, Bahn frei! Ach - tung, Leu - te, Platz ge - macht!

(folgt Lied)

Bahn frei, Bahn frei, oder wir fahrn Euch um!

③ *(folgt Lied)*

Kippt der Schlit - ten auch mal um, ein - mal um, zwei - mal um,
ma - chen wir doch kein Ge - brumm, kein Ge - brumm, kein Ge - brumm:

④ *(Ende)*

Bahn frei!

Schnee, Schnee, Schlittenbahn

1. Schnee, Schnee, Schlit - ten - bahn, heu - te fängt der Win - ter an, mor - gen geht es mun - ter aus dem en - gen war - men Haus ü - bers wei - te Feld hin - aus lu - stig berg - hin - un - ter!

2. Unsre Bahn ist spiegelglatt,
morgen rodeln wir uns satt,
alle Kinder, alle.
Bis die Sonne untergeht
und der Mond am Himmel steht,
sausen wir zu Tale.

3. Schnee, Schnee, schöner Schnee
über Felder, Wald und See
bis zum Nordpol drüben.
Hei, jetzt spieln wir Eskimo,
und wir sausen mit Hallo,
daß die Flocken stieben.

Himmel und Erde

Himmels-Au

2. Gottes Welt, wohlbestellt,
   wieviel zählst du Stäublein?

3. Sommerfeld, uns auch meld,
   wieviel zählst du Gräslein?

4. Dunkler Wald, grün gestalt',
   wieviel zählst du Zweiglein?

5. Tiefes Meer, weit umher,
   wieviel zählst du Tröpflein?

6. Sonnenschein, klar und rein,
   wieviel zählst du Fünklein?

7. Ewigkeit, lange Zeit,
   wieviel zählst du Stündlein?

Maienwind am Abend sacht

Schau den goldnen Mond dort

Schau den gold - nen Mond dort: Er ißt Po - me -
ran - zen, Scha - len, die er fort - wirft,
auf dem Was - ser tan - - - - - zen.

Was man nicht zählen kann

Die Wassertropfen
und die weißen Flocken.
Blumen, die eine Wiese bedecken,
und nach dem Regen die Schnecken.
In den Bäumen die Spatzen
und in Rom die Katzen.
Sterne, die vom Himmel fallen,
und im Meer die Muscheln und Korallen.

Der Wind stammt nicht von nebenan

1. Der Wind stammt nicht von ne-ben-an, der Wind, der kommt von weit. _____ Drum hö-re, was er singt und summt und brummt und jauchzt und schreit.

2. Drum höre, was er flüsternd spricht
ganz leise mit dem Busch:
von jemand, den er weinen sah
im fernen Hindukusch.

3. Der Wind kann viel erzählen, oh,
der Wind, der kennt sich aus.
Noch hinten in Afghanistan,
da weiß er jedes Haus.

4. Er liebt die Häuser, wie sie stehn
in jedem lieben Land.
Und über meins und über deins
streift er mit seiner Hand.

Ein Stückchen noch...

Die Wippe steigt.
Tom schreit vor
lauter Wonne:
Ein Stückchen noch,
ein Stückchen noch,
ein winzig kleines
Stückchen noch,
dann spiel ich Fußball
mit der Sonne.

Seifenblasen

Seifenblasen, Seifenblasen,
dürft euch ja nicht stechen lassen,
innen Luft und außen Luft,
wenn ihr platzt, seid ihr verpufft.

Seifenblasen, Seifenblasen,
dürft euch ja nicht stechen lassen,
schwebt hinab von dem Balkon,
macht euch in die Welt davon.

Umwelt und Alltag

Wer ist dort?

Glockenspiel

Alle

Klin-ge-lin-ge-ling, wer kennt den Ton? Ach, es ist das Te-le-fon:

Einzelne

Hier ist Pe-ter, wer ist dort? Mein Pa-pa ist lei-der fort,

doch heut Mittag um halb vier ist mein Vati wieder hier.

Alle

Bit-te-schön Herr Klin-gel-mann, ru-fen Sie doch wie-der an!

Antennenvögel

Die Antennenvögel auf dem Dach
flattern, klirren,
wenn der Wind sie faßt.
Aber schwirren
nicht davon
wie die Möwen, Tauben, Spatzen.

Die Antennenvögel
schwatzen,
reden und erzählen sich Geschichten.
Dichten
einfach so zum Spaß,
wenn sie sirren.

Hörst du was?

Song der Dampflokomotive

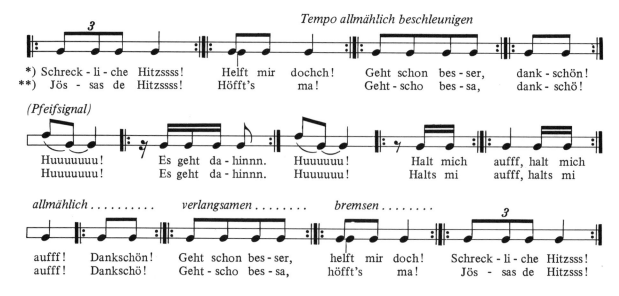

Tempo allmählich beschleunigen

*) Schreck - li - che Hitzssss! Helft mir dochch! Geht schon bes - ser, dank - schön!
**) Jös - sas de Hitzssss! Höfft's ma! Geht - scho bes - sa, dank - schö!

(Pfeifsignal)

Huuuuuuu! Es geht da - hinnn. Huuuuuu! Halt mich aufff, halt mich
Huuuuuuu! Es geht da - hinnn. Huuuuuu! Halts mi aufff, halts mi

allmählich . . . . verlangsamen . . . . bremsen . . . .

aufff! Dankschön! Geht schon bes - ser, helft mir doch! Schreck - li - che Hitzsss!
aufff! Dankschö! Geht - scho bes - sa, höfft's ma! Jös - sas de Hitzsss!

Ausrufer: Boppard am Rhein! Steigt aus oder ein! Türen schließen!

*) Norddeutsch
**) Österreichisch

(Schlagzeug) — (Pfiff) Zug fährt ab

Traktor-Geknatter

Ein Traktor kommt um die Ecke gerattert.
Man kennt ihn gleich, wie er klappert und knattert
und rüttelt und ruckelt
und zittert und knackt
und schüttelt und zuckelt
und stottert im Takt —

bis unter die Brücke zum dicken Bagger
wackelt der Traktor mit taketataka
taketa — taka taketa — pff
take — pff
take —— aus!
Dann geht der Traktorfahrer nach Haus.

Wenn wir fahren, rollen Räder

1. Wenn wir fah-ren, rol-len Rä-der, rol-len Rä-der im-mer-fort.
Au-to, Fahr-rad, Ei-sen-bahn, tra-gen uns von Ort zu Ort, tra-gen uns von Ort zu Ort.

2. Auf den Straßen, auf den Schienen
rollen Räder durch die Stadt.
Wer war wohl der kluge Mann,
der das Rad erfunden hat?

Alphabetisches Verzeichnis der Lieder und Texte

Inhalt

Wie wir Musik aufzeichnen

Was wir singen und sagen

Die kursiven Titel beziehen sich auf die in diesem Kapitel enthaltenen Reime und Prosatexte.

Zum Lehrwerk „Musikalische Grundausbildung in der Musikschule" gehören neben diesem
Schülerbuch
für die Hand des Schülers:
    — das Notenheft für den Grundkurs
für die Hand des Lehrers:
    — das Lehrerhandbuch, Teil I: Didaktik und Methodik
    — das Lehrerhandbuch, Teil II: Didaktischer Kommentar zum Schülerbuch. Unterrichtsmo-
       delle und Materialien für die Unterrichtspraxis
    — 2 MusiCassetten mit Klangbeispielen für den Unterricht

Quellenverzeichnis

S. 7 Ong drong dreoka/Äne däne diadee (Hans Magnus Enzensberger), in: Allerleirauh. Viele schöne Kinderreime, it 115, Suhrkamp Verlag, Frankfurt/M. 1961 – S. 9 Grafik von Roberto Zamarin, aus: Cathy Berberian, Stripsody, Edition Peters No. 66164, © 1966 by C. F. Peters Corporation, New York – S. 10 Mein Ball (Josef Guggenmos), in: Die Stadt der Kinder, hg. von H.-J. Gelberg, Georg Bitter Verlag, Recklinghausen 1969 (2.); Unheimliches (Hans W. Köneke) – S. 11 Der Hase und der Hahn (Josef Guggenmos), in: Der Hase, der Hahn und die Kuh im Kahn, Deutscher Taschenbuch Verlag, dtv junior, München 1977 (Ausschnitt); Vorzeiten gab es ein Land (nach den Gebr. Grimm), in: Carl Orff, Der Mond, B. Schott's Söhne, Mainz – S. 12 Fotos: (o) Hartmuth Schröder, Hannover; Bernd Böhner, Erlangen; (u) Werner Neumeister, München; Schott-Archiv Mainz – S. 14–21 Fotos: Günther Stiller, Taunusstein – S. 22 Foto: Schott-Archiv Mainz.

S. 26 Schallbilder (o) Roman Haubenstock-Ramati, Ludus musicalis, UE 20015 (Rote Reihe Nr. 15), Universal Edition, Wien 1970; (m) Dieter Schönbach, Canzona da Sonar III, Nr. 5050, Moeck Verlag, Celle 1971; (u) Siegfried Behrend, Monodie Nr. 3, Zimmermann Musikverlag, Frankfurt/M. – S. 28 Kommt ein Tag in die Stadt (Hans Adolf Halbey), in: Die Stadt der Kinder, hg. von H.-J. Gelberg, Georg Bitter Verlag, Recklinghausen 1969 (2.) – S. 32 Konzert auf dem Schuttplatz (Hans Herbert Ohms), in: Die Stadt der Kinder, hg. von H.-J. Gelberg, Georg Bitter Verlag, Recklinghausen (Ausschnitt); Mäusejäger (Gina Ruck-Pauquet/Ausschnitt) – S. 35 Foto: Günther Stiller, Taunusstein – S. 36 Schallbilder: (o) Karlheinz Stockhausen, Zyklus für einen Schlagzeuger, Universal Edition Nr. 13186 LW, London 1961; (m) Zoltán Pongrácz, Improvisation II, B. Schott's Söhne, Mainz 1973; (u) Ladislav Kupkovič, mäso kríža, Das Fleisch des Kreuzes, Universal Edition Nr. 14132, Wien 1965 – S. 37 Gelogen (Josef Guggenmos), in: Die Stadt der Kinder, hg. von H.-J. Gelberg, Georg Bitter Verlag, Recklinghausen 1969 (2.); Ich habe zehn Spatzen im Garten (Josef Guggenmos), in: Was denkt die Maus am Donnerstag? Georg Bitter Verlag, Recklinghausen 1985 (10.) – S. 38 (m) Nbsp. aus: Karlheinz Stockhausen, Zyklus für einen Schlagzeuger, Universal Edition Nr. 13186 LW, London 1961; (u) Mensural-Quadratnotation, in: Musikgeschichte in Bildern, Bd. III, S. 209, VEB Deutscher Verlag für Musik, Leipzig 1975 – S. 41 Auf den Feldern (Hans Georg Lenzen/Ausschnitt); Backenzahn (Janosch) – S. 42/43 W. A. Mozart, Dreistimmiger Kanon KV 508 „Auf das Wohl" – S. 44 Hundertzwei Gespensterchen (James Krüss), in: Zungenbrecher, hg. von H. Coenen, Möseler Verlag, Wolfenbüttel und Zürich – S. 46 Unsre Katz hat Junge, volkstümlich; Der Grobschmied, volkstümlich aus dem Niederdeutschen; Schlittenreiter-Polka, volkstümlich aus dem Allgäu – S. 50 Vier Kühe stehn in unserm Stall (Manuel du Bois-Reymond/Ausschnitt) – S. 51 Leute, hier herein (Hans W. Köneke) – S. 52 Die Kau (Josef Guggenmos), in: Die Stadt der Kinder, hg. von H.-J. Gelberg, Georg Bitter Verlag, Recklinghausen 1969 (2.); Valentin Rathgeber, Die Tret-, Pfeif- und Lachsonata, aus dem „Augsburger Tafelkonfekt" – S. 53 Old McDonald, volkstümlich aus England, dt. Textübertragung: Hans W. Köneke; Ose wiesewose, volkstümlich aus Holland – S. 54 Himmel, Hölle (Janosch) – S. 56/57 Michael Praetorius, Ballett, aus der Sammlung Terpsichore – S. 58 Der Kuckuck und der Esel, volkstümlich – S. 59 Heinrich Hoffmann von Fallersleben, Kuckuck, Kuckuck; Elefant, Elefant, volkstümlich – S. 60 Georg Friedrich Händel, Gavotte G-Dur aus der Suite Nr. XIV – S. 62 Samuel Scheidt, Ei du feiner Reiter – S. 63 Daniel Gottlob Türk, Die Waldhörner und das Echo – S. 64 Jacob van Eyck, Wat zal men op den Avond doen; Feliks Rybicki, Wiegenlied, in: Ich fange an zu spielen, Polskie Wydawnictwo Mucyczne, Krakow/Polen – S. 65 Béla Bartók, Andante für Geige und Klavier, in: Kinderstücke, Nr. 8, B. Schott's Söhne, Mainz, ED 4398, © 1951 by Zenemükiadó Vállalat, Budapest; Gunild Keetman, Sur le pont d'Avignon für Chor und Schlagwerk, in: Orff-Schulwerk, Musik

für Kinder Bd. III, Schott & Co. Ltd., London 1953 – S. 66 (o) Nbsp. aus Dieter Schönbach, Canzona da Sonar III, Nr. 5050, Moeck Verlag, Celle 1971; (u) Die kleine Hexe, T: volkstümlich, M und S: Hans W. Köneke, nach der Fassung von K. Haus/ F. Möckl, in: Singen und Spielen, B. Schott's Söhne, Mainz 1977.

S. 72 Gretel, Pastetel, volkstümlich; Unk, unk, unk, in: Orff-Schulwerk, Bd. I, B. Schott's Söhne, Mainz 1950 – S. 74 Melchior Franck, Themen aus „Deutsche Weltliche Gsäng und Täntze" – S. 76 Jeder spielt so gut er kann, in: Orff-Schulwerk, Bd. I, B. Schott's Söhne Mainz 1950 – S. 79 Ah! vous dirai-je, maman, volkstümlich aus Frankreich, dt. Textübertragung von Hans W. Köneke; Geh im Gaßle rauf und runter, volkstümlich aus Mähren.

S. 81 Singt ein Vogel, T/M: Heinz Lau, in: Das singende Jahr, hg. von G. Wolters, Möseler Verlag, Wolfenbüttel und Zürich 1969 – S. 82 April, April! T: volkstümlich, M: Hans Poser, in: Der fröhliche Kinderkalender und Schallplatte FF 1190, Fidula-Verlag, Boppard/Rh.; 2. Stimme im Spiegelbild: Wolfgang Stumme, B. Schott's Söhne, Mainz 1979 – S. 83 Der Winter ist vorüber, T/M: aus der ital. Schweiz, dt. Textübertragung: Hans Baumann, in: Das singende Jahr, hg. von G. Wolters, Möseler Verlag, Wolfenbüttel und Zürich 1969, Satz der 2. Stimme: W. Stumme, Satz der Xylophon-St.: Hans W. Köneke, beide B. Schott's Söhne, Mainz 1979; Der Leiermann (Lene Hille-Brandts) – S. 84 Auf einem Baum ein Kuckuck, T/M: volkstümlich; Vagabundenlied (Gina Ruck-Pauquet), in: Die Stadt der Kinder, hg. von H.-J. Gelberg, Georg Bitter Verlag Recklinghausen 1969 (2.); Hört ihr den Vogel schrein, T/M: Felicitas Kukuck, in: Das Liedernest, hg. von L. Rockel, Fidula-Verlag, Boppard/Rh. 1971 – S. 85 Komm herbei, du schöner Mai, T: Heinz Grunow, M: Gottfried Wolters, in: Mein Schätzlein hör ich singen, hg. von G. Wolters, Möseler Verlag, Wolfenbüttel und Zürich; Kommt die liebe Sommerzeit, T/M: Hans Poser, in: Tina, Nele und Katrein, hg. von H. Poser, Möseler Verlag, Wolfenbüttel und Zürich 1953 – S. 86 Grüß Gott, du schöner Maien, T/M: volkstümlich; Was noch frisch und jung an Jahren, T/M: volkstümlich – S. 87 Wir reisen ins Sommerland, T/M: Karl Foltz, in: Hörst du nicht den feinen Ton?, hg. von K. Foltz, Möseler Verlag, Wolfenbüttel und Zürich 1958; Abenteuer einer Flöte (Heinrich Hannover) – S. 88 Es führt über den Main, T: volkstümlich, ergänzt durch Felicitas Kukuck, M: F. Kukuck, in: Das singende Jahr, hg. von G. Wolters, Möseler Verlag, Wolfenbüttel und Zürich 1969 – S. 89 Kennt ihr schon Avignon? T: Peter Fuchs, M: aus Frankreich, in: Unser Liederbuch für die Grundschule, Ernst Klett Verlag, Stuttgart 1966; Heute tanzen alle, T: Barbara Heuschober, M: aus Norwegen, in: Pro musica Liederbuch, hg. von Jöde/ Gundlach, Möseler Verlag, Wolfenbüttel und Zürich – S. 90 Werft 'nen Heller, T: R. B. Schindler, M: aus Jugoslawien, in: Die Zugabe 1 und Schallplatte FF 1191, Fidula-Verlag, Boppard/Rh. 1968; Sascha geizte mit den Worten, T: Anton B. Kraus, M: aus Rußland, in: Die Zugabe 2 und Schallplatte FF 1193, Fidula-Verlag, Boppard/Rh. – S. 91 Didel dadel du! T: Paul Nitsche, M: aus England, in: Spielt zum Lied (Vorstufe), hg. von P. Nitsche, B. Schott's Söhne, Mainz 1971 – S. 92 Wir sind die Musikanten, T/M: aus Schwaben – S. 93 Rums dideldums, T: Karola Wilke, M: Wolfgang Stumme, in: Der große Wagen, hg. von W. Stumme, Möseler Verlag, Wolfenbüttel und Zürich 1955; Eletelefon (Laura E. Richards), dt. Textübertragung: Hans Baumann, in Reigen um die Welt, hg. von H. Baumann, Sigbert Mohn Verlag, Gütersloh 1965; Die Tiere machen Karneval (Josef Guggenmos), in: Das kunterbunte Kinderbuch, Verlag Herder, Freiburg i. B. 1962 – S. 94 Eins, zwei, drei, T/M: volkstümlich; Wir haben ein Klavier, T: Josef Guggenmos, M: F. F., in: S. Abel-Struth, Musikalischer Beginn in Kindergarten und Vorschule, Bärenreiter-Verlag, Kassel und Basel 1971–77; Ein Elefant marschiert durchs Land (Josef Guggenmos), in: J. Guggenmos, Ein Elefant marschiert durchs

Land, Georg Bitter Verlag, Recklinghausen 1967 – S. 95 Trat ich heute vor die Türe, T: Christel Süßmann, M: Heinz Lemmermann, in: Die Zugabe 1 und Schallplatte FF 1191, Fidula-Verlag, Boppard/Rh. 1968; Ein Ele-Zwele-Trelefant, T/M: Hans Poser, in: Der Eisbrecher und Schallplatte FF 1190, Fidula-Verlag, Boppard/Rh. – S. 96 Der Klabautermann, T: Anneliese Schmolke, M: Hans Bergese, in: Schulwerk für Spiel-Musik-Tanz, Bd. 1, hg. von H. Bergese, Möseler Verlag, Wolfenbüttel und Zürich – S. 97 Aus Glas (Josef Guggenmos), in: Das kunterbunte Kinderbuch, Verlag Herder, Freiburg i. B. 1962; Der Jäger längs dem Weiher ging, T/M: volkstümlich – S. 98 Rangstreitigkeiten (Theodor Fontane); Die Bremer Stadtmusikanten, T/M: Hans Poser, in: Märchenlieder und Schallplatte FF 1168, Fidula-Verlag, Boppard/Rh. 1958 – S. 99 Was kommen die Wolken so hoch, T/M: Hans Baumann, Möseler Verlag, Wolfenbüttel und Zürich/Voggenreiter Verlag, Bonn-Bad Godesberg; Regenschirme (Vera Ferra-Mikura), in: Die Stadt der Kinder, hg. von H.-J. Gelberg, Georg Bitter Verlag, Recklinghausen 1969 (2.); Der Regenbogen (Josef Guggenmos), in: Was denkt die Maus am Donnerstag? Georg Bitter Verlag, Recklinghausen 1985 (10.) – S. 100 So schein', so schein' du Sonne, T/M: Gottfried Wolters, nach einem Volkslied aus der Gottschee, in: Das singende Jahr, hg. von G. Wolters, Möseler Verlag, Wolfenbüttel und Zürich 1969; Nebel, Nebel, weißer Hauch, T: F. A. Blumau, M: Walter Pudelko, in: Musikanten, die kommen, Bärenreiter-Verlag, Kassel und Basel – S. 101 Alle Wetter! Was für'n Wetter! T/M: Hans Poser, in: Die Maultrommel und Schallplatte FF 1190, Fidula-Verlag, Boppard/Rh.; Der Regenmann, T: Margarete Jehn, M: Wolfgang Jehn, in: Der blaue Fingerhut, Eres Edition, Lilienthal/Bremen – S. 102 Der Sommer, der Sommer, T/M: aus dem Rheinland, Textergänzung: Gottfried Wolters, in: Das singende Jahr, hg. von G. Wolters, Möseler Verlag, Wolfenbüttel und Zürich 1969; Will niemand singen, T/M: Paul Kickstat, in: Das singende Jahr, hg. von G. Wolters, Möseler Verlag, Wolfenbüttel und Zürich 1969 – S. 103 Ihr Sterne, ihr Sterne, T: Karola Wilke, M: Wolfgang Stumme, in: Der große Wagen, hg. von W. Stumme, Möseler Verlag, Wolfenbüttel und Zürich 1955; Sankt Martin, T/M: aus dem Rheinland – S. 104 Weihnachtszeit kommt nun heran, T: Karola Wilke, M: Wolfgang Stumme, in: Der große Wagen, hg. von W. Stumme, Möseler Verlag, Wolfenbüttel und Zürich 1955; O Tannenbaum, T/M: aus Westfalen, Satz: Walter Rein, Möseler Verlag, Wolfenbüttel und Zürich – S. 105 Es sungen drei Engel, T/M: nach dem Mainzer Cantual 1605; Was soll das bedeuten? T/M: aus Schlesien – S. 106 Melchior und Balthasar, T/M: aus Frankreich, dt. Textübertragung: Hans Baumann, in: H. Baumann, Französische Volkslieder, Möseler Verlag, Wolfenbüttel und Zürich; Vom Himmel hoch, T/M: volkstümlich – S. 107 Lieb Nachtigall, du kleine, T/M: aus Frankreich, dt. Textübertragung: Hannes Kraft, in: Das singende Jahr, hg. von G. Wolters, Möseler Verlag, Wolfenbüttel und Zürich 1959; Kommet all und seht, T/M: Hans Poser, in: Der fröhliche Kinderkalender und Schallplatte FF 1160, Fidula-Verlag, Boppard/Rh. – S. 108 Heute wolln wir rodeln, T/M: Karl Foltz, in: Hörst du nicht den feinen Ton? hg. von K. Foltz, Möseler Verlag, Wolfenbüttel und Zürich 1958 – S. 109 Schnee, Schnee, Schlittenbahn, T: Fr. J. Behnisch, M: Wolfgang Stumme, in: Der große Wagen, hg. von W. Stumme, Möseler Verlag, Wolfenbüttel und Zürich 1955 – S. 110 Himmels-Au, T/M: aus dem Rheinland; Maienwind am Abend sacht, M: aus Ungarn, dt. Textübertragung: Barbara Heuschober, in: Alle singen, Nr. 17, hg. von F. Jöde/W. Träder, B. Schott's Söhne, Mainz – S. 111 Schau den goldnen Mond dort (aus Spanien), T: Irmgard Faber-du Faur, in: Kinderreime der Welt, Verlag Werner Dausien, Hanau/M., M: Felicitas Kukuck, in: Sing Sang Song, Rowohlt-Verlag, Reinbek b. Hamburg; Was man nicht zählen kann (Max Bolliger) – S. 112 Der Wind stammt nicht von nebenan, T: Josef Guggenmos, in: Das kunterbunte Kinderbuch, Verlag Herder, Freiburg i. B. 1962, M: Wolfgang Stumme, B. Schott's Söhne, Mainz 1979; Ein Stückchen noch (Alfred Könner), in: Die Stadt der Kinder, hg. von H.-J. Gelberg, Georg Bitter Verlag, Recklinghausen; Seifenblasen (Richard Bletschacher), in: Milchzahnlieder, Jugend und Volk Verlagsges. m.b.H., Wien-München 1971 – S. 113 Wer ist dort? T: Werner Halle, in: Halle/Janosch/Schüttler-Janukulla, Bilder und Gedichte für Kinder, Georg Westermann Verlag, Braunschweig 1971, M: Wolfgang Stumme, B. Schott's Söhne, Mainz 1979; Antennenvögel (Lisa-Marie Blum) – S. 114 Song der Dampflokomotive, T/M: Wilhelm Keller, in: Ludi Musici 1 (Spiellieder) und Schallplatte FF 2502, Fidula-Verlag, Boppard/Rh. 1968; Traktor-Geknatter (Hans A. Halbey), in: Pampelmusensalat, 13 Verse für Kinder von H. A. Halbey, Verlag Julius Beltz, Weinheim 1965 – S. 115 Wenn wir fahren, rollen Räder, T: Werner Halle, in: Halle/Janosch/Schüttler-Janukulla, Bilder und Gedichte für Kinder, Georg Westermann Verlag, Braunschweig 1971, M: Wolfgang Stumme, B. Schott's Söhne, Mainz 1979.